S

José E. Santos **Los**

Viajes

de Blanco

White

San Juan, 2007

 Ediciones Callejón

© José E. Santos, 2007

Reservados todos los derechos
de esta edición para:
© 2007 Ediciones Callejón, Inc.
Ave. Las Palmas 1108
Pda. 18 P.O. Box 9024
San Juan, Puerto Rico
00908-0024

Tel 787-723-0088 Fax 787-723-5850
edicionescallejon@yahoo.com

Diseño colección:
SAMUEL ROSARIO

Tipografía:
Marcos Pastrana Fuentes

ISBN: 1-881748-47-2
Library of Congress Catalog Card Number:
2007922398

Colección litoral–literatura

Datos para catalogación:
    Datos para catalogación:
Santos, José

Los Viajes de Blanco White
    Cuentos
    Ediciones Callejón. 2007. Primera edición.

    Novela

Impreso en D´vinni S.A.:
Impreso en Colombia - Printed in Colombia:

Índice

LOS VIAJES DE BLANCO WHITE

Prólogo 7

Los viajes de Blanco White

El iluso 11

La autobiografía 16

Los ojos 27

Las fiestas de Santa Claus 33

Memphis 39

El regalo 43

La búsqueda 46

El lado oscuro del Sol 50

El "Terminator" boricua 56

Los pantalones 61

Carta desde España 68

El regreso de Blanco White

Prefacio.. 81

Prólogo del editor 83

Relación del regreso de Blanco White *a la isla de Puerto Rico* seguida de la noticia de su muerte y otros apéndices 87

Prólogo

No pensaba que narrar me ocuparía más tiempo del que le había otorgado hace unos años cuando escribí la colección que denominé *Archivo de oscuridades*. Nació esta segunda colección más que nada de mi intención de complacer a aquellos que de alguna u otra forma me comunicaron su deseo de que volviera a narrar. Este conjunto es más de ellos que mío, por esta razón les pido excusas (tanto a ellos como a quien leyere) por la imperfección que puedan mostrar los relatos, pues sinceramente, y por la costumbre de escribir poesía, no me pienso, no me ubico como narrador.

El texto es todo una falaz presentación de una falaz apropiación, la que he hecho del nombre del sevillano José María Blanco White. El escritor español sólo me dio las claves superficiales de esta usurpación que basó en las añoranzas frívolas, pero tan esenciales de la vida nocturna. En cierto modo dedico a su memoria —tan polémica y acaso olvidada por mucho tiempo— estos relatos nacidos entre las luces y la noche larga, en el atardecer eterno de la cordura que intenta subsistir, pero que debe perecer para regenerarse.

Debo agradecer a muchos por sus palabras de apoyo, de crítica y de entusiasmo. Primero a Camille Cruz, que como crítica (deseo pensar que como crítica) siempre ha creído en lo que llama mi capacidad para sintetizar y de hacer del narrador un ente movedizo. A Zoé Jiménez Corretjer le agradezco el creer siempre en mis proyectos. A Mario Cancel debo su entusiasmo que me ha contagiado, que ha servido de motor para esta empresa. A Jan Martínez le agradezco su tan esclarecedora perspectiva de mi narrativa, gesto el suyo que no olvido. Además fue el primero en pedirme más cuentos una mañana en que me topé con él mientras se tomaba un café al margen de la avenida Ponce de León, en Río Piedras. Espero no decepcionarlo. Y a Edgardo Rodríguez Juliá agradezco sus comentarios y sus recomendaciones, que sigo, y que traiciono libremente (entiendo tu pasión por la realidad y me veo junto a Manolo y al Carabine degustando en la playa, pero seguramente terminaríamos observando a través de los telescopios del Obispo Trespalacios).

Termino esta prefación con mi invitación serena para que se adentren en este menudo pero vital espacio de mi tiempo. Sobre todo, los insto a que degusten (verbo del que me he enamorado) de este acopio de palabras y de conectadas historias discontinuas.

Los Viajes de Blanco White

A Mariana

EL ILUSO

Para leer a Blanco White

La crítica reciente ha dedicado páginas de genuina relevancia en torno a la obra de Blanco White. Poco se escribía de este escritor verazmente ubicado en dos tiempos, y atado a la secuencia demencial generada por una ilustración tardía bañada de un romanticismo ineludible. Habrá de añadirse las crisis religiosas que lo aquejaron, así como los cambios anímicos e intelectuales que seguramente debió a sus seguidos exilios. El presente ensayo desea dar cuenta de su breve pero sustantiva obra narrativa, a punto de salir impresa en Puerto Rico, espacio desde el cual se proyecta su problemática visión de mundo. Nuestra exposición desea clasificar sus textos conocidos, así como tratar de presentar el universo temático que manejó durante sus años de mayor productividad, de cara al presunto abandono que supone su final autoexilio.

Su narrativa ha de clasificarse en por lo menos cuatro conjuntos distintivos: los textos netamente autobiográficos, los textos denominados "de anecdotario" por Jan Martínez, Pierre Miterrand y Julio Ortega, los cuentos regulares o sueltos, y una serie de cuentos que recientemente hemos descubierto en sus abandonados documentos y que hemos denominado "cuentos de evasión". No podemos dar cuenta clara de la secuencia cronológica de los mismos, por lo que la inminente colección que se avecina podría pecar de aleatoria. Si bien se nos ha pedido su edición, destacamos la imposibilidad de presentar una exposición completa de su visión estética y mucho menos agotar la crítica inmersa en sus páginas.

Al conjunto de obras autobiográficas pertenecen solamente dos textos: "La autobiografía" y la "Carta desde España". La primera parecería un heterodoxo planteamiento del valor de la vida, canalizado por lo que podrían denominarse tres ángulos de su experiencia. El texto se divide en tres partes, cada una dedicada a uno de los filtros existenciales con que se autodefine. La oferta es desigual según la mayoría de los críticos y de manera unánime ha sido su texto más criticado. Sin embargo, hay momentos de un lirismo entrañable y poco común dentro de la literatura de naturaleza urbana. Nos llama la atención la poética que define a partir de su desciframiento del exótico mundo asiático: "Yo creo que los restaurantes chinos tienen algo especial: son espejos de la memoria. No hago más que entrar en uno y recapitulo todo lo que he hecho durante el día. Al sentarme pienso en lo que ha sido la semana entera. Entre tragos puedo proyectarme hacia el futuro inmediato, y si el local tiene ventanas, recorro la vida que aún no he vivido". Nuestro autor intenta recapturar en el texto escrito la preeminencia del instante. Lo exótico es meramente un antifaz del sufrimiento que supone un mundo desentendido. Podemos declarar que el centro de la reflexión de nuestro autor es que la realidad inverosímil es el espejo de sí misma.

Semejante conflicto es el que presenta en la "Carta", texto que llega a nosotros por su destinatario, el músico y pertinaz masón Waldo Ortiz Rodríguez. Es también éste el último texto conocido de Blanco, y por lo tanto sirve como prólogo a su autoexilio (o mejor, de epílogo a su inventario impreciso). En la "Carta" se hace evidente el conflicto entre el mundo que desea abandonar y el mundo al que pretende asimilarse. Constituye a su vez una vuelta al origen particular y novedosa. Identifica Blanco la semilla en España y aparentaría así rechazar cualquier otra propuesta seminal para su caribeñidad. Notamos que parte de una isla para regresar a otra isla (el espacio balear), lo que parecería ser un comentario unificador de su ser cultural, si bien se privilegia la noción del origen mediterráneo o grecorromano de la misma. Muchos lo han criticado, y hasta algunos han aventurado motes como "pedrerista irredento", "castizo desalmado", "falso blanquito" y "unitario de salón". Valga aclarar que no nos suscribimos a ninguna de estas caracterizaciones. Sostenemos que el texto habla por sí mismo y que no se justifican tales motes simplistas. De todas maneras nunca ha contestado nuestro autor a los ataques (no ha sido posible dar con su paradero, si bien informan allegados que no ha muerto y se mantiene en el exterior), y hasta que no lo haga no nos parece justo articular más en torno a la posible polémica.

El llamado conjunto "de anecdotario" es el más comentado por la crítica. El mismo aparentaría constituir un cruce entre la ficción y la autobiografía. El paradigma que siguen dichas narraciones es el siguiente: Blanco White aparece como un personaje marginal de la acción que presenta en sí misma una total independencia de este elemento. Ortega y Martínez han coincidido en afirmar que se trata de una serie de comentarios éticos de quien no quiere admitir públicamente (tal vez por su conocido estilo de vida tan poco ortodoxo) un retorno al orden y al respeto por las jerarquías. Miterrand y otros resaltan que la presencia del "seudo-Blanco White" en los textos es superflua y que la misma podría entenderse como una falla narrativa que es producto de ansias protagónicas típicas de unególatra. A este conjunto pertenecen "Memphis", "El lado oscuro del Sol", y "Los ojos".

Los cuentos "de evasión" son tal vez los más intrigantes y menos atendidos. Si bien se comenta generalmente que entretienen, muy pocos críticos les han dedicado páginas de análisis. Su descubrimiento relativamente reciente y los elementos descabellados o "exóticos" ("son mala ciencia-ficción" ha comentado de pasada Paul Burton, pese al elogio manifestado por Eric Henager) han evitado que los estudiosos los tomen en cuenta a la hora de estudiar la obra de nuestro autor. Hemos prometido centrarnos en estos textos en un momento futuro puesto que podemos dar cuenta de cierta continuidad con el resto de su obra narrativa. A esta serie pertenecen "El Terminator boricua", "Las fiestas de Santa Claus" y "La búsqueda".

Finalmente quedan los cuentos sueltos. Participan de los mismos elementos típicos del realismo social de la cuentística insular, tradición que continúan fehacientemente. Pertenecen a este conjunto los restantes cuentos: "Los pantalones", "El regalo", y un cuento perdido pero del que da cuenta su correspondencia, "El iluso".

Si se ha de caracterizar en términos generales la obra narrativa de Blanco White habría que definirla como una evolución natural, casi orgánica del discurso social sesentista que se fracciona y se divide en diversos parajes de un discurso seudo-sicológico. Muchos destacan el papel de la ética. Consideramos marginal su empleo. Más bien se trata de una imitación de los parámetros redentoristas de las generaciones precedentes, tan centradas en la búsqueda de una definición nacional y de un discurso político monológico. Como ya la crítica y la ensayística recientes del país han demostrado más allá de toda duda la muerte de tales discursos, Blanco White viene a ser algo así como una "rara avis", un narrador arcaizante aunque algo audaz. En cierto modo va contra la corriente intelectual actual que ya ha trascendido los viejos debates y se ancla en el espíritu cosmopolita, acaso una nueva "república de las letras", como dirían los ilustrados. Sin embargo, no deja de ser interesante esta oferta literaria porque precisamente viene a ser un recuerdo, una melancólica evocación de un mundo perdido, de un discurso latente en la conciencia de quienes ya lo han superado y que sirve así de referente preciso. Así las cosas, la presunta oferta ideológica de los relatos de Blanco White (si ha de verse de este modo) se manifiesta verdaderamente entonces como pura estética.

Edgardo Guzmán

LA AUTOBIOGRAFÍA

M e llamo José María Blanco White. No muchos me conocen, es cierto, pero de seguro algunos hombres de bien podrán dar fe de mi persona. Entre otras cosas puedo decir que conocí a Reinaldo Arenas en una fiesta en Inglaterra, luego de recorrer una calle infestada de burdeles y otros clubes nocturnos algo indecorosos. También Juan Goytisolo habló bien de mí ante una multitud. Lo conocí en el furgón de cola de la línea ferroviaria que lleva de Sevilla a Marruecos, el día en que despidió el duelo de Larra. En mis años mozos conocí a Luis Rafael Sánchez. Él me convidó un día a tomar un batido de papaya y guineo en la Plaza del Mercado en Río Piedras un día en que me sentía algo indispuesto. Fue también él el que me dijo una vez que nunca se debía conocer a los autores porque los mismos nos decepcionarían.

Nací en el antiguo Cuartel de Ballajá. Mi familia, de estirpe irlandesa había abandonado hace unos años su apellido verdadero, White, por la versión española Blanco. Me ha tocado de manera lúdica retomar el mismo dado mi período de exilio voluntario en tierras anglófonas. Me fui por ateo o por incorregible, no sé bien por cuál. Algunos me consideraban en verdad un llorón. Allá en el mundo anglo no me quisieron mucho tampoco. Tuve que integrarme a la Iglesia Anglicana por unos años, pero me harté. Molesta eso de tener por fuerza que creer en algo. Rejode mucho. Hoy día digo que soy unitario y la gente feliz con eso. Y a la verdad que yo mismo no entiendo qué es ser unitario. Ya me cansaré hasta de eso.

Hoy escribo desde esta mesa inconsecuente en este restaurante chino. Voy ya por mi tercera copa de vino. No vengo mucho a este establecimiento. Me gusta la comida china, pero para eso es mejor ir al Yum-Yum Tree, en Hato Rey, en la Avenida Roosevelt. Hoy quise venir al restaurante chino de Plaza Las Américas. No sé cómo se llama. Nunca me he fijado. Debería hacerlo ahora, cuando salga, después de terminar el almuerzo.

Yo creo que los restaurantes chinos tienen algo especial: son espejos de la memoria. No hago más que entrar en uno y recapitulo todo lo que he hecho durante el día. Al sentarme pienso en lo que ha sido la semana entera. Entre tragos puedo proyectarme hacia el futuro inmediato, y si el local tiene ventanas, recorro la vida que aún no he vivido. De igual manera, y según el aperitivo que pida, se me ocurren buenas ideas para matizar mi presente. Si pido "steamed dumplings" se me viene a la mente qué hacer para pasarla bien durante el fin de semana. Si como un "egg-roll" siento como algo de entusiasmo, como deseos de concluir algún proyecto inacabado que tengo pendiente. Si por el contrario me traen las costillas en barbacoa pienso en otras personas, en llamarlas, en ver si desean hacer algo conmigo o meramente enterarme de lo suyo. Los "crab-rangoons" son muy particulares, amén de su efecto. Pero aquí no los sirven, ni en este restaurante ni en los demás.

También los restaurantes chinos poseen características únicas. Por ejemplo, reina lo impersonal y lo desentendido. El servicio nos habla y no nos habla: se distancian categóricamente de una clientela que les resulta insípida. Nos sirven, pero ellos actúan como dioses, como los amos. Hablan frente a nosotros, desvergonzados, ajenos, y prestan poca o ninguna atención a nuestra presunción, a nuestros reclamos. Viven en su propio tiempo. Tal vez he aprendido a ser paciente al intentar entender su proceder. Esto último no lo podría garantizar, si bien comprendo que nunca podré ser como ellos, ser uno de ellos.

Hay dos grupos bastante definidos entre la clientela del local esta tarde. A la izquierda puedo ver a hombres de negocios, o acaso abogados u otro tipo de profesionales que han colgado sobre el espaldar de su asiento la chaqueta de sus trajes. A la derecha veo el parvulario, como diecisiete estudiantes de un colegio cercano. Los demás somos el resto. Estoy cerca del extremo central del salón que da a la entrada. Sólo tengo que mover los ojos para anclarme en un grupo o en el otro. Son dos grupos que en nada se parecen, pero poco a poco diviso una conexión entre los mismos.

Y me doy cuenta de que siempre se trata de eso. Conectar, amalgamar, establecer vínculos. Acaso como el siguiente: uno de los profesionales, cuarentón seguramente, posa constantemente sus ojos en las piernas de una de las muchachas del grupo de escolares. Maravilla el que no se hayan dado cuenta sus compañeros de mesa, como si él siguiera la conversación sin el menor desvío. No es esto, sin embargo, lo relevante. Al pasar la mirada al otro extremo me fijo en que la adolescente exhibe su entrepierna sin la menor preocupación, lo que deduzco por la apertura de su falda. Pienso que no se ha dado cuenta, pero me equivoco. Sonríe, incita, levemente posa la punta de la lengua sobre su labio inferior. Me interrumpe un chino, y me pregunta por otra bebida que de hecho pido y agradezco. Muere la magia: Al volver los ojos sobre la improbable pareja no aparentan ni el más mínimo signo de lo ocurrido. Pienso que alucino. ¿Sería el vino? ¿Serían mis deseos reprimidos? Cierro los ojos, me los aprieto con las manos. Sostengo por un lapso considerable este gesto. Mis codos comienzan a molestarme sobre la mesa. Sé que el chino ha regresado porque siento la nueva copa cuando la coloca en la mesa. Al abrir los ojos no están, ni ella ni él.

¿Me he equivocado en torno a la pareja? No puedo saberlo. Siempre es así. Conectar, amalgamar, establecer vínculos: ¿acaso me engaño?

* * *

Espero que esta noche no haya demasiada gente. Me molesta no tener espacio para bailar. El espacio es necesario en un club de música gótica, para poder bailar tan vital y pormenorizada coreografía. Han dicho que traen un repertorio especial para la noche, y cuando anuncian esto el local se llena bastante. Esto supone además tener que ir algo más temprano para poder estacionarme cerca sin problema alguno. Había pensado esta tarde desistir y dejar pasar la fecha, pero seguramente la semana entrante todo el mundo me dirá que me he perdido de algo bueno, intenso, o lo que sea, aunque yo me imagine que es mentira. La gente miente demasiado.

Debo prepararme. Dudo. No sé qué ponerme esta noche. Llevo ya varios días de puro negro y deseo variar por eso de que es una ocasión especial. Podría optar por usar el frac, aunque está ya algo deslucido. Podría combinarlo con la camiseta nueva de insignias celtas, o con la ya veterana pero favorecida camiseta del ocho de espadas. Por otro lado, ya ha pasado mucho tiempo desde que usé por última vez la chaqueta dieciochesca de color vino, mi favorita. Sí, me tienta la idea. Dudo. Me debato mentalmente. Cierro los ojos. Vuelo a los salones de Londres, a la Ópera de París, al carnaval, sí, al carnaval de Venecia, mi segunda casa, mi primer deseo. No dudo más: iré más regio que el Marqués de Sade. No, cualquiera se ve mejor que ese. A ver, más regio que Voltaire. No, ese caminaba en pijamas por todas partes. A ver, a ver, no, me canso ya de pensar: voy de Carlos III o un facsímile razonable.

Busco las medias blancas largas que tienen el lazo en el dorso de la rodilla. Las pobres ya están de retirarse, pero todavía aguantan. Entran sin problema alguno. Ahora el pantalón negro y corto hasta la rodilla, el que cierra y pincha las medias. Toca ahora a la camisa con pechera erizada, mi favorita, la más vieja, pero la que aún mejor luce. Al cerrar el cuello me dispongo a poner la hebilla con la piedra central negra. Me tardo, es un proceso de alta precisión y soy malo en esto. Ya está. Cierro las muñecas. Ahora el maquillaje. Después de ponerme las lentillas debo pensar en un diseño que no se desvíe demasiado del habitual. Ya están puestas, y ahora voy por el lápiz delineador. Lo paso con cierta fuerza por debajo del ojo izquierdo y trazo así una línea que va desde el nacimiento de la nariz hasta dos centímetros más allá del final del ojo. Repito el proceso en el ojo derecho. Pienso: ¿qué variación deseo esta vez? Definitivamente va el ojo de Ra, de Horus o de como se llame el dios egipcio que sea, pero deseo que sea algo diferente. Prefiero ángulos rectos en vez de las curvas sinuosas. Ya está. Ahora a pasar sombra sobre las cejas. Aplico la sombra y logro que en los extremos haya un giro hacia arriba, como una leve punta endiablada. Ya. Al lado izquierdo, acaso sólo un lunar falso en el centro de la mejilla. Bien. Queda recogerse el pelo en un rabo embadurnado de fijador. Hecho. La chaqueta, pieza de un intenso color vino, fuego de mi presencia (si bien también me ha de dar mucho calor). Puesta, regio. Falta algo, lápiz labial negro. Tardo algo para que me quede bien. He fallado: a limpiarse. Esta vez no me equivoco, queda muy bien. Debo decidir ahora si he de llevar el sombrero de tres picos. Me queda de antología, pero agobia pensar en el posible calor de la velada en el caso de que vaya mucha gente, así que hoy descansa el sombrero.

A mi lado mi eterna compañera. La eternidad es un castigo (pregúntenle a Dios y al Diablo), y los seres nocturnos nunca morimos. Sonríe hermosa, contenta porque se entrega pronto a la pasión del baile. Luce impecable el negro de su corsé y de la falda de encajes y volantes de tul. Sobrio su maquillaje, tal vez quisiera yo que usara tonos más oscuros y diseños más radicales. Me callo, que eso es asunto de ella. El local humea cigarrillos de especies e incienso. Avanzamos hasta llegar a la barra, donde las cantineras, nuestras hijas adoptivas (dos homosexuales que ocasionalmente se visten de mujer, pero que siempre manifiestan su felicidad a ultranza) bailan mientras trabajan, y pedimos vino rosado por eso de empezar ligeramente. Mi compañera se fija en la vestimenta de las demás mujeres presentes y me comunica su criterio.

—Esa niña es bella pero no sabe vestir. Tiene un cuerpo bello y te confieso que me gusta un poco, pero debe mejorar la forma en que se combina.

—Si tú lo dices…. Aunque a mí no me espanta eso de la forma en que viste. Siempre puedo imaginar lo que esconde debajo. Además ella es mi novia simbólica—. "Las ganas mías", pienso degenerado y lamentablemente patético.

Tocan una canción que le fascina a Stigma (mi compañera, se sobreentiende) y se va a la pista. La canción me gusta ("Once in a Lifetime" de *Wolfsheim*) pero no tanto. Solía bailar más antes. Solía sentirme libre ante la noción de un descubrimiento. Ahora me siento más lento. Stigma baila, ensimismada. Analizo la música y siempre llego a reconocer sus insuficiencias. He matado la canción, como se diría. Le falta esto, o lo otro, y así he sido con todo, todo este tiempo. Deseo un *Long Island Ice Tea*, o un *Whisky Sour*. No, no hacen bien los *Whisky Sours*, mis favoritos. Será un *Long Island* para comenzar a borrar. Stigma continúa, acaso feliz. La niña bella viene hacia acá y adivino que será para pedirme un clavo y fumarlo a mis expensas al pensar que juega a la seducción gótica y nocturna conmigo. Y yo sé que nada es real, mucho menos su interés, simple deseo de que le presten atención.

—Hace tiempo que no hablamos.

—Sí, he estado ocupado pensando, cosas del trabajo.

—¿Cuándo terminas?

—Como en dos semanas, luego vienen los finales.

—Oye, ¿qué estás fumando?

—*Djarum Cherry*. Toma uno.

—¡Ay, gracias!

Ya en este momento se puede ir, se puede sentir excusada. Ha logrado lo esencial, el tumbe del oloroso cigarrillo, tan definidor de una subcultura falsa y divertida. Es más, me interesa que se vaya ya. No me queda qué decir, a menos de que le pregunte por alguna menudencia. Pasa algo inadvertido, pero predecible.

—Mira quien llegó.

Me vuelvo para mirar hacia la puerta y llega el combo, el gran combo de la degeneración nocturna, de la caribeñización *New Romantic*, del vampirismo amateur boricua. Esas tres niñas que bailan y se bailan, besan y se besan, junto a sus mojigatos compañeros de turno, entes felices y simpáticos pero amenazados por un futuro ya reconocible, ya augurado en mi persona. Desean ser como yo, qué pena. Desean haber vivido: Dios les perdone su ingenuidad.

—Esas tipas tan sobradas.

—Bueno, ¿y a ti qué te va? ¿Qué te importa eso? Tú no te vas a tirar a ninguno de ellos.

—¡Oye! Tan atrevido.

—Tan veraz.

Se sonríe, mecánicamente, despojada del velo de la pretensión. Continúo como matador. Ella es el toro, acaso un toro sin fuerza, como todo toro.

—Deja que esa gente la pase bien. Te he dicho mil veces que te entretengas mejor de lo que haces y no me haces caso. Es por eso que no te hablo casi ya.

Esto último es cierto. Tanto puede degenerar una relación novedosa, pasar de la conversación interesante hasta el simple y bochornoso ir a pedir un cigarrillo. Stigma regresa, algo sudada.

—Pídeme un *Long Island*.

Desea borrar ella también, aunque su archivo es diferente. Su archivo es tal vez genuino. Pago el trago. Es feliz y habla con las bartenders.

Comienzan a tocar mi favorita "Rakim" de *Dead Can Dance*. Debo encaminarme a la pista. Todos esperan que lo haga, saben que es mi favorita. Me siguen con la vista y se preparan para ver mi acostumbrada coreografía personal de esta pieza. Pasa la sección suave, alzo los brazos y me muevo sinuoso. Cuando irrumpe la sección principal ya sigo mi sintaxis, doy vueltas, canto la canción de alguna manera, la tarareo. No sé en qué idioma está escrita la sección principal, pero la canto. Tal vez por eso es mi favorita. No la conozco y es mía.

* * *

"¿Por qué no prestan atención, aunque sea mínima?", pienso mientras me desangro mentalmente. Uno es lo que hace, dicen por ahí, y yo deseo creerlo.

—Fíjense bien. Hay una gran diferencia entre la verdad y lo escrito, o relatado. Ustedes saben eso. A ver, pregunto, ¿cuántos de ustedes pueden dar fe de que nacieron?

Silencio, deseos suyos de pensar que estoy loco, se miran todos a la vez y alguien se aventura.

—Profesor, si estoy aquí fue que nací.

—Muy bien, lo infieres, ¿pero lo recuerdas?

—No.

—Entonces supones que naciste o piensas que sabes que naciste a partir de lo que te han contado, ¿no? Te habrán dicho que pasó esto y lo otro, y entonces naciste y todos felices y fue uno de los días más maravillosos, etc., ¿verdad?

—Algo así.

—¿Pero puedes asegurar que eso fue así? Tal vez tu padre no había llegado a la clínica y tu madre preocupada. Tal vez tu padre en alguna escapada con los amigos olvidó que tenía que estar en la casa porque tu madre ya estaba cerca de su hora, y tal vez se la pasaron peleando después y tu nacimiento no fue tan feliz como suponías, porque ellos simplemente decidieron relatártelo de la manera en que "conoces tu origen". ¿Me sigues?

—Ya veo. Pero no tengo por qué dudar de lo que me digan.

—Bien podría ser así. Pero puede no serlo.

—Pero no veo el porqué.

—A ver, ¿tú dirías a tus hijos todo sobre ti? ¿Contarías las cosas tal y como fueron, o sólo aquello que estimas que es prudente?

—Ya veo, sí.

—Pues es así todo. Relatamos lo que pensamos que será funcional, no la verdad como tal. Además no podemos reproducir la verdad. Contar o decir pasa por un proceso de selección. La verdad ya pasó, fueron los hechos, y no vuelven. Sólo puedo contarlos, y sólo cuento lo que deseo contar, lo que deseo presentar de los hechos.

Uno que otro mira asombrado, otros asienten con la cabeza mientras copian. Otro se aventura tercamente:

—Profesor, ¿y eso que dijo ahora viene en el examen?

No sé si deseo morir o deseo matar. Así de ambigua puede ser la verdad. Podría desear volver a nacer, pero me conformo con pensar que es viernes y se avecina el fin de semana. Resisto. Resistir es una forma de concretar algo. Deseo pensar esto. Profeso una sonrisa y lo miro.

—Puede ser.

Unos se ríen un poco, otros maquinalmente copian o hablan con el vecino para pedirle que repita lo que dije.

—Atiendan acá. Volvamos a Hita. Pasamos a esa sección que se conoce como el "sermón / prólogo" y que en el *Libro* comienza con la frase "Intellectum tibi dabo". Primero que nada, ¿qué es lo que intenta hacer un prólogo?

Silencio. Una muchacha levanta la mano y asiento a su gesto.

—Dice lo que va a venir después.

—Bien es un modo de verlo. ¿Alguien más?

Nadie. Silencio.

—Pues se dice de un prólogo que hace dos cosas en esencia. En primer lugar resume lo que viene en adelante, y en segundo lugar...

—Espérese profesor que va algo rápido.

—En segundo lugar —he esperado quince segundos— trata de indicarnos cómo leer lo que viene en adelante. Ahora bien clase...

—Espérese, repita.

—Gente, no tienen que copiarlo todo por favor. Escuchen.

Por supuesto, no todos han copiado. Ante mí, hacia el centro del salón una parejita se entretiene con cuchicheos, con la relación del inventario de lo que hicieron ya, o de lo que harán dentro de poco, o esta noche, o mañana. Les consume el despertar de la naturaleza, el organigrama de la selección natural, la burla del mundo a todo posible orden y toda posible empresa fundamental y ética. Les sonrío con la complicidad del que no es cómplice. Se callan. Por unos segundos triunfa el orden.

—Si digo que esto es lo que en esencia hace un prólogo, ¿qué problemas se me presentan?

Silencio. Pasan diez segundos y la misma muchacha de la otra vez se aventura a contestar.

—Tal vez se está limitado por la extensión.

Sonrío y celebro a la misma vez.

—Eso. Es eso. Muy bien. No es posible resumir en unas pocas páginas el contenido entero del texto que sigue. La gallina no cabe dentro del huevo —algunos hasta copian esto último—. Por otro lado, ¿cómo es posible que alguien diga exactamente cómo se debe leer algo? El mismo que escribe cuando relee se da cuenta de que ha dicho mucho más de lo que quería decir. Los textos traicionan. Por eso en este "sermón / prólogo" lo que se nota es una obsesión con la idea de la intención.

Copian, asienten. Debo hacer algún diagramita en la pizarra, volver sobre las tres ideas mientras el de la esquina mira hacia fuera del salón, atleta universitario al que no le importan estos excesos de saliva. La parejita ha vuelto a su coloquio. ¡Cómo se regodean! Me callo que tal vez sean felices.

Podría ser más feliz yo si les llamo la atención o los echo del salón. No quiero hacerlo. No quiero ser como Dios. Y sigo preguntándome para qué hago todo esto. Explico el diagrama. Copian, entienden, o me hacen entender que entienden. Y sigo.

Y vuelve mi pensamiento al fondo del abismo y a la cima del monte, que volar deseo pero no puedo sin alas. Y deseo otra vez estar en el restaurante chino, evaluando el universo, y deseo volver al club, volver a la pista y bailar, consciente de las totalidades, observando y viviendo junto a los hijos del deleite. Y deseo volver a hablar con Goytisolo en su furgón, con Borges en su punto de todos los puntos, con Camus en su carencia o con Miguel Hernández en su celebración y su muerte. Y deseo ser ellos, ser esos escritores, ser esos estudiantes, ser todos esos hijos de la noche que se entregan al placer cada sábado, ser cada uno de ellos, y lamentar y celebrar que he de ser siempre el mismo. Y deseo que siempre sea sábado para nunca regresar. Uno es lo que hace, dicen por ahí, y yo deseo creerlo.

LOS OJOS

Muchos años antes de que Blanco White fuera Blanco White, el mediodía se volcó sobre sí mismo en el estacionamiento principal de la Escuela Superior Cacique Agüeybaná. Era ese un teatro de abismos, un escenario de vidas desiguales agolpadas en un mismo recinto intacto, un mausoleo de mentes para aquel que lo escogiera, un mar de posibilidades para aquel que lo pudiera navegar; un nido de nacimientos múltiples y complejos. Nací por observación, nací por el despertar de mis ojos, por el celo irresistible de la violencia misma, por los celos inconsecuentes de la empecinada Soqui. Soqui sí, la que siempre gozó de cierta fama de fajona, de mujer (que no muchacha) de principios (aunque propios y desconocidos de la multitud) que no se dejaba amilanar por nadie y nunca desestimaba un asunto ni evadía ningún reto, se dirigía hacia el estacionamiento a ver si Raquel y Elena tenían planes de ir a la pizzería y a la farmacia, o si habían concertado con los muchachos algún encuentro fugaz en la cueva, en el boquete, allá debajo de las escaleras para compartir la botella urgente de vino *Canario* al calor del humo y la centella de los *Marlboro*. Por supuesto que habría preferido lo segundo a lo primero, si bien le interesaba (también de manera urgente) la excursión a la avenida que redundaría en la adquisición del último *Vea*, del último *TeVe*

Guía, o del último *Estrellitas*. Sus comparsas la esperaban sonrientes, mientras descansaban las posaderas sobre la *Corveta* azul del 1969 del maestro de álgebra, a punto casi de explotar y reír de manera infinita y demencial. Yo me sentaba del otro lado, pues era éste el automóvil de los automóviles en este lote consagrado a la instrucción humana.

—¿Ustedes de qué se ríen?

—Nada chica, te tengo un cuento.

—No te imaginas lo que dicen de Manny —adelantó Elena con su voz estridente y aniñada.

—¡Cállate que tú no sabes contar na!

Tal fue el golpe de voz de la Raquel, madama entre madamas de la vida del "parking" y del pasillo. Y esto porque Elena no sabía hablar, punto (era bella Elena y me fascinaba, pero hablarle, ni modo). Era necesario establecer el orden, y más cuando se trataba de un asunto serio. Ciertamente un asunto serio: el Manny, el Manitín, el Manuel, el nene de los sueños concretos de la Soqui, el nene de urbanización, medio blanquito (de piel, que esto no es La Salle), el de la mirada hermosa, la sonrisa cordial, el que siempre tenía palabras hermosas y gentiles que decir que ella entendía que eran para ella (sabe Dios por cuántas musas), que eran inspiradas por ella; el Manny, el futuro aquí en el presente.

—Mira que yo vi a Manny con la Tania.

Otro tanto fue el golpe, pero en la Soqui. La Tania, niña, que no muchacha, desabrida y sin personalidad. Una cara bonita de las que llegaron a Cacique de Reparto Valencia, de las que llegaron último y por lo tanto, usurpadora del patrimonio sierrabayamonefalintorrechesco.

—Dime bien, coño. ¿Los viste dónde?

—Salieron de lo más aquel del salón de Historia y se metieron a la biblioteca. Él le buscaba la mano en una.

—¿Se la cogió o se la buscaba?

—Pa mí que la tocó.

—No, no, ¿se la cogió o no?

—No sé, pero sí estaban muy pegaos.

Elena observaba intensamente el coloquio que le era vedado. Se alimentaba la muy garduña de la fuerza, del vapor que se fraguaba, de la explosión que esperaba. Soqui como que pensaba. No entendía pero entendía bien. Se le adelantaron. Tanto plan, tanta postergación innecesaria: tanto haberse ido con el otro grupito durante la fuga del mes pasado, tanto no sentarse al lado de Manny en el cine cuando fueron en masa a ver *Midnight Express*, terrible película agobiante de sufrimiento que habría servido para pegársele en la oscuridad; tanto baile en el que no se le pegó cuando tenía que pegársele al son de la *Mulenze*. Tiempo perdido. Tiempo de las miserias, de las repeticiones, de los destinos que no se conectan. Tiempo que evadí insistentemente, que mi presunta sangre azul rechazaba. Tiempo que no era el mío, era el de ellos, que me era horrendo, que me volvió ajeno. Entonces Elena no se aguantó más y lo lanzó:

—Embuste, que Raquel dijo que iban de manos.

—¡Cabrona!

—Dejen, dejen eso que no importa. La está buscando y punto. ¡Qué mierda! ¿Y eso fue hoy?

—Sí —anunció reposada la Raquel—. Fue esta mañana cuando salieron de Historia. Yo iba hacia Química y me di cuenta. Los seguí un rato hasta la biblioteca. Ahí me regresé. Pero pa' mí que no pegan y él se va a cansar.

—¿Cómo que no pegan?

—Que no, que ella no habla nunca ni se junta con nadie y ya, mira, pa' mí que él lo que quiere es ver si se la puede grajear porque esa sí que no suelta.

—¿Pero y si termina gustándole el grajeo y le da con seguir viéndola? ¿Ah? Me jodí comoquiera. Cabrona la Tania de mierda esa, a que es porque es medio cana la pendeja esa. No tiene ni tetas la enana esa. .

—No, si es más alta que yo —interrumpió ineficientemente Elena. Sus dos amigas la miraron de reojo como quien se quiere reír pero sabe que no puede. La pobre Elena a la que eché varias veces el ojo, pero con quien de nada hablé. ¿He dicho esto ya?

Pero el mal estaba hecho, y Soqui no podría salir de las redes de la musaraña. Y la musaraña da vueltas, y da vueltas y da vueltas, y regresa sobre sí misma. Soqui no se contenía, y era otra, la otra que tenía dentro.

—¡Yo la cojo a la cabrona esa, yo la cojo!

Soqui fue en su busca. La conocía, conocía sus rostros y aquel era el rostro de la destrucción. No podía estar pensando ya en otra cosa. Tania iba a ver quien era Soqui, iba a arrepentirse de haberle hecho caso al Manny, de buscar al Manny, porque seguramente fue ella quien lo buscó. Raquel ordenó inmediatamente a Elena que avisara.

—Busca a la Tania y dile, y llega antes de que Soqui la encuentre. O dile a Manny que aguante a Soqui.

Era tarde ya. Tania, que andaba entonces con Manny, iba hacia las escaleras del frente de la escuela. Hacia ella se dirigía Soqui, fija, total. Tania no imaginaba nada, no sabía nada, y al bajar se dio cuenta de la mirada de Soqui. Se extrañó muchísimo y no fue hasta que la Elena gritara que se fuera, que se percató de lo que pasaba, de lo que iba a pasar, de lo que ya se aproximaba hacia ella por los escalones de la escuela. Soqui, al subir, se detuvo ante ella, la miró intensamente y la empujó con la fuerza del fin del mundo.

—¡Cabrona, Manny es mío, oíste, mío coño, so pendeja!

El golpe llevó a Tania a los brazos de la muchedumbre que ya se agrupaba en derredor de ambas, y que en vez de auxiliar o evitar la disputa, esas manos, esos brazos lanzaron a Tania hacia la Soqui, como pelota, como muñeca, como objeto sin identidad que no consigue entender y no logra ni siquiera abrir la boca. Tania quería llorar, pero no podía. El desconcierto se apoderaba de ella. Y la infamia voluntaria se apoderó del universo entero. Tania, sin voluntad, se lleva de frente a Soqui y ambas ruedan escalera abajo. El estruendo no se

hace esperar y todos gritan y se agitan. Raquel intenta llevar-
se a Soqui que ya muestra una laceración intensa en la cara.

—Vente, deja eso.

—No, no —gritaba un muchacho—. Mira que te sacó sangre. ¡Dale, dale duro!

Soqui se sintió la sangre en el rostro y no pensó. Se tiró
encima de Tania que apenas se levantaba. Mientras tanto la
multitud exigía.

—¡Dale duro!

—¡Dale coño!

—¡Sepárenlas!

—¡No, no, déjenlas que se tienen ganas!

—¡Chacho, había mala sangre ahí!

Soqui agarró a Tania por el cabello y la llevó arrastrada hacia
el estacionamiento. La multitud de ojos las seguía. Los varones
hicimos un cerco hermético y no dejábamos pasar a nadie.

—¡Dale duro!

—¡Aráñala, aráñala!

—¡Hálale las greñas!

Por puro instinto Tania se defendió. Lanzó un golpe que
dio en el cuello de Soqui, y seguido la agarró y le mordió un
brazo. Soqui le brincó encima para tumbarla una vez más.

—¡Te mordieron Soqui, dale duro!

—¡Aráñala coño!

—¡Arráncale la blusa!

—¡Dale con la teta! ¡Dale con la teta!

—¡Esnúala! ¡Esnúala!

Sobre Tania una lluvia de golpes le hinchaba el costado y la
cara. Los ojos que en derredor consumían los hechos se lle-
naban de una satisfacción brutal. Mis ojos, que fijos se posa-
ban, suavemente nacían a un incierto pero insinuante placer.
A Soqui no le importaba nada. Ya no podría contenerse.

—¡Puta, cabrona, pendeja!

A cada palabra seguía un golpe. Tania intentó huir, pero en
el movimiento se enredó con la pierna de Soqui, y logró así

llevarla al suelo. El cerco de ojos se hinchó de manera exorbitante.

—¡Mira que se defiende!

—¡Eso es bríncale encima!

—¡Esnúala! ¡Esnúala!

Recuperada de la caída Soqui volvió sobre Tania. Todo tiene su final, se dice, y todo tiene su principio. La tomó de frente por el cabello y de una embestida le arrancó todo el mechón que empuñaba fieramente. Tania sangró incesantemente y el cerco de ojos calló (sólo yo musitaba ligeramente el efecto de tanto exceso). Dos muchachas agarraron a Tania y la llevaban dentro de la escuela. Soqui lanzó un grito final y corrió fuera, en dirección a la avenida. Los ojos la siguieron, corrieron con ella, pero Raquel se nos interpuso.

—¡Déjenla, no la sigan!

Soqui no entendía, no pensaba, no sabía qué sentir mientras apretaba el cabello en su mano y se alejaba, lejos de sí misma, y lejos de los ojos, lejos de mis ojos.

LAS FIESTAS DE SANTA CLAUS

Q uince años pasados ya desde la infame independencia, Billy Joel se encaminaba a celebrar las fiestas de su pueblo. Quince años tenía cuando acabó la soberanía estadounidense, y como si fuera ayer recuerda el estado de consternación y terror que junto con su madre sufriera durante el período. Confirmó que al menos los gringos no se llevarían las carreteras y los edificios. Todavía estaban en el mismo sitio aunque un tanto desmejorados. A decir verdad, no podía ni siquiera asegurar esto último, pues pensó que entonces también estaban igual de desmejorados. Billy Joel estaba vivo todavía, algo que jamás pensó posible en la república. No sólo seguía viviendo, sino que ciertamente no añora nada en verdad. Se abandonó a vivir su vida un día tras otro, como Dios manda, y hasta podría pensarse que es feliz.

Poco tiempo después de la independencia, Levittown reclamó su autonomía municipal. Toa Baja ya no representaba su ideario cultural, y la nueva condición política del país requería que su población se organizara de cara a los nuevos retos. Más bien se sintieron movidos por el interés de conservar su patrimonio. El gobierno central lo entendió perfectamente y no se opuso en lo absoluto al pedido. Levittown, a mucha honra, se convirtió así en el primer municipio de nombre inglés en la Isla. Es verdad que pocos conocían el desabrido origen del nombre, pero siempre hubo quien aventurara algún patriarca perdido en la historia del rincón noreste estadounidense. Mejor suerte tuvo Buchanan, el segundo pueblo de nombre inglés. Allí se creó la conciencia de celebrar el natalicio del primer presidente homosexual de los EE. UU., razón por la cual disfruta hoy en día de un merecido reconocimiento internacional, amén de ser un centro turístico de primera. Pero esas frivolidades no espantaban a Billy Joel, ni a la población levittownense. Y como desde hace diez años ha hecho, hoy se encamina a las fiestas del patrón del pueblo, Santa Claus.

Las Fiestas de Santa Claus han opacado, por no decir eclipsado, las antiguas Fiestas de Reyes. Al ser la novedad, o mejor dicho, la novedad de la novedad, el propio gobierno se ha dedicado a su sustento y su promoción. Hay de todo en las Fiestas, y nunca parecen acabarse. Era esto lo que más disfrutaban Billy Joel y los suyos. Una vez llegado a la avenida Boulevard (perdónese la redundancia) se encontró con sus viejos amigos Christian, Yerimarie, Johnny John, Sheila y Barbie, la antigua mafia de los viernes al caer la tarde en la Pedro Albizu Campos. Se amontonaron y se acercaron a un espacio que permanecía vano para así observar de cerca las carrozas y el desfile. Como de esperarse, comenzó el mismo con unas batuteras vestidas de santacloses eróticos. Más de una carroza repetía el motivo del gordo rojo, el trineo y los renos. Se sucedían versiones novedosas, desde las fieles al arreglo tradicional de plástico ordinario hasta las que incorporaban arte gráfico, pantallas digitales y otras que aparentaban ser instalaciones o esculturas enigmáticas "a lo Miró". Se alternaban con más batuteras, y en ocasiones con la carroza que simplemente tenía una cabeza o máscara gigante del nórdico santo junto a una botella gigante de Coca-Cola.

Pronto pasaría, sin embargo, la parte del espectáculo que más le llamaba la atención a Billy Joel que era la procesión "de los corruptos y el tostao". Le fascinaba en un principio por diferente, pero nunca en verdad había entendido de qué se trataba. Esto siguió así hasta hace cosa de cuatro años. En aquella ocasión vio desfilar acompañado de su madre la pequeña representación del hombre loco que perseguía y daba de palos a unos políticos "anexionistas" del pasado siglo que culminaba con la escenificación de un tiroteo en que el loco mata a uno de los políticos, el más curiosamente ataviado. Al final se lo llevan dos hombres forzudos vestidos de blanco, después de colocarle una camisa de fuerza. Usualmente en esta parte el público gozaba mucho. Billy Joel no era la excepción a la regla. Ese día, sin embargo, notó que su madre lloraba ya hacia el final de la representación y esto lo desconcertó un poco.

—¿Quieres irte, mamá?

—Sí, por favor.

* * *

Pasaba las horas en vela, agitado, indeciso. Juan Pérez desconocía la calma, el sosiego. Perdía su tiempo pensando en cosas de poco provecho como la corrupción gubernamental. Suponía vergonzoso este capítulo de la historia insular, toda vez que pensaba que nadie quería hacer nada para enmendarlo. Trabajaba, y evitaba hablar del asunto. Suficientes eran los comentarios de sus compañeros de trabajo y lo que se escuchaba en la radio, siempre prendida para el gusto de la mayoría. Su esposa, por muchos años tuvo que apaciguar el desenfreno, temerosa de algún exabrupto, de algún gesto que le indicara el término de la salud mental y el abandono del mundo.

—Ven conmigo. Hace mucho que no pasamos la tarde juntos. Vamos al Muñoz Rivera a caminar y distraernos.

—Tienes razón—contestó Juan algo entusiasmado—. Estoy seguro de que me voy a sentir mejor.

Cuando contestaba, Juan daba muestras inequívocas de cierta dejadez que preocupaba a su esposa. Le llegó ella en ocasiones a rogar que no pensara tanto, que la vida sigue, que todo pasa, pero él siempre le ofrecía la misma contestación: "es que no es ético".

Esa tarde, mientras la pareja daba la vuelta por el extremo del parque que culmina frente al Tribunal Supremo, Juan pareció reconocer a un personaje folclórico del pasado insular. Ulises Tallado había sido senador por muchos años. Miembro del partido político plagado de corruptos y facinerosos vulgares, se distinguía por alejarse de ese tipo de comportamiento y mantenerse siempre a la altura esperada de un servidor público. Ulises era algo así como una reliquia: vestía en ocasiones con chalina y su bigote recordaba a los próceres decimonónicos. Cuentan acaso que dejó el partido y la política activa al ver que se plagaba de la herrumbre, de la misma herrumbre que le quitaba el sueño a Juan Pérez en las interminables noches de quebrantos innumerables.

Comenzó Juan a frecuentar la esquina del parque y a pasearse al otro lado, donde los hoteles y los restaurantes servían de pórtico al olvidado fortín de San Jerónimo. Se dio cuenta de que era un lugar frecuentado por Tallado y otras celebridades. Llegó la imagen del ex senador a invadir las pocas horas de sueño de Juan, confundiéndose con el resto de los malestares que se acumulaban diariamente a partir de la lectura del periódico, y de ver televisión y oír radio. La enfermedad avanzaba en su ser como torrente sucia en tarde lluviosa. Siguió frecuentando el ahora adorado predio de la capital, que ya consideraba suyo al recibir casi diariamente la caricia del viento y el abrazo del sol que atesoran los eternos dos hermanos de nuestra tradición urbana capitalina.

—Pasas mucho tiempo fuera Juan y eso me preocupa.

—Nada mujer, que los paseos me vienen bien, ¿o es que no se nota?

—Bueno, es cierto que estás más tranquilo, pero me gustaría que no fueras tanto, o que me llevaras contigo.

—Pues si quieres mañana te vas conmigo, yo feliz.

Frente al televisor Juan Pérez inhala el hedor de nuestra historia. Sus ojos no reaccionan a la voz del reportero, al anuncio televisivo, a la bocina que se escucha en frente en este mismo momento. Juan Pérez ha decidido que Dios existe, y ha decidido que hay un solo proceder ético que condiciona la existencia humana. Juan Pérez ha aceptado este proceder. Hay tal cosa como el bien y es deber del ser humano aspirar al mismo.

Pasadas dos semanas Juan Pérez inicia su habitual paseo capitalino. Ha dejado el automóvil en el estacionamiento del hotel. Se encamina finalmente hacia el vestíbulo. Se detiene. Piensa unos segundos y marca un número en su teléfono móvil.

—Nueve uno uno, emergencias.

—Sí, escuche señorita que no bromeo. He dejado una bomba en el Tribunal Supremo.

—¿Cómo dice?

—Un explosivo. He dejado un explosivo en el Tribunal Supremo y ahora me encamino al Hilton a hacer lo mismo. Cortó la comunicación. Tendría ahora todo el tiempo del mundo. Espero unos tres minutos. Luego, ya en el vestíbulo, comenzó la marcha hacia el restaurante principal del hotel. Se oyen a lo lejos unas sirenas. Ha entrado y se dirige a una mesa, la mesa en que Ulises Tallado almuerza con unas amistades. Tallado se fijó en él, y vio cuando sacaba Pérez un revolver que de inmediato apuntó hacia él. Juan sólo lo observó dos segundos.

—Por corrupto tú y los tuyos, so cabrón.

Disparó cinco veces y las balas todas dieron en el cuerpo de Tallado, quien se había levantado por impulso y ahora cesaba de ser. Se oyó mucho ruido, algunos gritos, unas sirenas ahora cercanas y las ráfagas que tumbaron en el suelo el cuerpo aún vivo de Juan Pérez que sonreía a sus captores.

* * *

—Sí, vivió, hijo. Vive todavía.

—¿Y en dónde está?

—En el manicomio de Cidra. Iba a verlo, pero él seguía hablando de lo mismo y se sonreía feliz. Un horror verlo, hijo. Por eso dejé de ir y poco o nada te enteraste de tu padre, que al sol de hoy no sabe que en esos días me había embarazado.

—Nunca le dijiste.

—Era mejor así. Trata de entenderme.

—No, seguro. Te entiendo. Está bien.

Y pasó un año. Y pasaron dos años. Y pasaron tres. Y pasaron cuatro años.

Y hoy Billy Joel se apresura a ver la procesión "de los corruptos y el Tostao". Y se acerca junto con Sheila, Christian, Yerimarie, Johnny John y Barbie a lanzar los acostumbrados gritos coreados del festejo.

—¡Mátalos por cabrones!

—¡Por corruptos mátalos!

—¡Qué coman mierda!

Entre risas y gritos entusiastas, Billy Joel sonreía y lloraba de la emoción, de la emoción de saberse el único que se enorgullecía y comprendía el verdadero sentido de las Fiestas de Santa Claus.

MEMPHIS

"Espero que no haya cerrado el correo", pensó Lamont Jackson mientras transitaba por la avenida Poplar. Iba de camino a un encargo de mil cuatrocientos dólares de cocaína para una fiesta "blanca" en la zona aledaña a White Station. Prueba de su suerte y su bonanza era el Mustang rojo del 2000 que conducía, y por supuesto, su aún más imponente físico labrado por su membresía especial a un gimnasio "elite". Así se dividía el tiempo: gimnasio, automóvil, mujeres, costillas en barbacoa, gimnasio nuevamente, automóvil otra vez, "negocios", mujeres, automóvil. Eso sí, sureño y negro absoluto de piel y de tradición, Lamont no le niega a su madre el mínimo favor. Y por esto se encaminaba a la estación de correos del Poplar Plaza. Poco faltaba para doblar la esquina del centro comercial y estacionarse frente al edificio.

Notó al llegar que la oficina postal estaba abarrotada de gente. Con el auto todavía encendido decidía con poco entusiasmo su proceder. A todas luces tardaría en la fila. Pasarían por lo menos unos 35 minutos antes de que le tocase su turno. "Me quedo o me voy, me quedo o me voy", pensaba mientras se apoderaba de él cierta ansiedad conocida, ya experimentada en las noches de trasiego novel en zonas desconocidas. Dejó el auto en medio del lote de estacionamiento, sin ocupar uno de los espacios, que bien se diga, eran escasos.

Al entrar al establecimiento titubeó y no se instaló de inmediato en la fila. Dio varias vueltas, lo que intranquilizó bastante a varias personas.

"No conozco a nadie, a ver qué me invento", pensaba ya hecho un mar de ansiedad. Vio a un caballero joven de tez blanca y expresión perdida que no dejaba de mirar el mostrador y a los empleados que atendían en ese momento.

—Oye tú, ¿no me reconoces?

El caballero lo miró extrañado, aunque tal vez deseando hurgar en el archivo de su memoria para no parecer rudo. Unas ancianas negras que estaban frente al caballero se viraron para contemplar la escena, algo incómodas por la actitud de Lamont. Se imaginaban las intenciones poco éticas de Lamont y deseaban que se diera cuenta él de que montaban guardia en nombre de la decencia.

—No recuerdo, pero dime de dónde podría conocerte.

—De las fiestas en el International Shell. ¿No te llamas Joseph?

—No, no, me llamo Blanco White.

—Perdóname entonces, te confundo con alguien.

Las ancianas comenzaron a mirar fijamente a Lamont. Mostraban su recelo, su desdén, su desapruebo cabal. Lamont sentía sus miradas como dardos. Podrían ser estas mujeres su madre misma, o alguna de sus tías. Sudaba cada vez más y no acababa de decidirse por hacer como Dios manda la fila. Afuera su automóvil se había vuelto un estorbo. Un guardia de seguridad dio noticia del asunto y Lamont se dirigió afuera para estacionarse. Adentro las mujeres comenzaron a hablar en voz alta.

—¡Qué desvergonzado ese hombre!

—Después no quieren que hablen mal de los negros.

—¡Gloria a Dios! Eso mismo digo. A mi hijo si hace algo así le doy de cachetadas, para que respete las buenas costumbres.

—¡Aleluya hermana! Una que los lleva por el camino recto y ellos que se apartan del Señor. Tanto carro y tanta ropa nueva es señal de algo malo.

—¡Gloria a Dios hermana! Eso es cierto, porque eso es drogas, hermana, cosas del diablo que infectan a nuestros muchachos.

—¡Amén mujer! Es el diablo y sus señales.

La multitud que hacía fila no sabía si reír o lamentar el vocerío y el conjuro de las viejas aliadas del bien. Se notaba en las voces de éstas el cansancio de años de sufrimiento, de ver a generaciones de muchachos perderse en el anonimato narcótico, de tener asimismo que enfrentar a una policía que no entendía sus tormentos, de vivir en una ciudad dividida por el color y la corrupción del poder.

Afuera Lamont Jackson ensayaba el retorno a la fila. Sabía bien que esas mujeres serían un estorbo. Ya se tardaba mucho y eso de llevar mucha droga encima no era algo bueno. "Me meto al frente, eso haré, aunque me griten", pensaba consumido por el sudor y la ansiedad. "Me esperan, me esperan, pero que esperen que no puedo decirle a mamá que no envié el paquete". Lamont se lanzó finalmente hacia el interior del correo y fue a ubicarse al frente de la fila. "Es una muchachita blanca, una muchachita blanca como de doce años. De seguro que me dejará al frente, me tendrá miedo", pensó esperanzado. La niña lo miró espantada. Lo dejó instalarse al frente y hasta se echó algo a un lado para darle paso. Todos se dieron cuenta, sobre todo las señoras negras que estaban muy cerca.

—Eso no se hace niño. ¡A la cola!

—¡A la cola desvergonzado!

—Déjenme en paz que llevo prisa—, alcanzó a contestar de inmediato.

—¡Sin vergüenza, no tienes temor de Dios! ¡Salte de ahí!

—¡Miren el temor de esa pobre niña! ¡Charlatán!

—¡Mal nacido! ¡Pide perdón y vete a la cola!

Lamont sudaba más fuerte. Algunas voces de otras personas se sumaron a la queja. No deseaba mirar a las ancianas. Moriría de seguro, moriría de pensar que su madre misma lo regañaba. Uno de los asistentes del correo llamó a la concordia y le pidió cortésmente que hiciera cola. Lamont titubeaba.

No sabía si obedecer o irse. "Tal vez se callen ahora las viejas y no pasa nada", pensó ya casi delirante. Se mantuvo en su sitio y se siguió un corto silencio. Al quinto segundo contado explotaron nuevamente las voces.

—¡En nombre de Dios, a la cola!

Y una de las señoras negras arremetió con su bolso en el costado de Lamont que simplemente se echó algo a un lado. La otra anciana le dio más fuerte con la mano abierta en el cogote. Lamont intentó esquivar los golpes que ahora eran cientos.

—¡Desvergonzado, mal hijo, mal hombre!

—¡Dios te reprenda! ¡A la cola! ¡Obedece!

Lamont quería llorar. Sentía sobre sí las voces de sus tías, los ojos de su madre, el clamor de su raza y el resquemor de su conciencia que le indicaba de manera contundente el peso de la verdad. La lluvia de golpes no cesaba y Lamont se adentraba en la total confusión. Cedió y se cayó. Fue en ese momento que algunas bolsas de la droga se regaron por el suelo. Las ancianas se dieron cuenta de inmediato y redoblaron el castigo.

—¡Mal nacido, desvergonzado!

—¡Guardia, venga que lleva drogas el tunante! ¡Por el amor de Dios, venga!

El guardia apareció enseguida. Con el revolver en la mano apuntaba, sin saber bien para qué. Lamont no podía casi moverse. Trató de recuperar una de las bolsas pero una de las ancianas se montó sobre él y le impedía el movimiento. Algunos empleados postales vinieron y lo sujetaron por las extremidades. Lamont se iba de este mundo y volvía nuevamente al mismo, al caos, al trance infernal. Cerraba los ojos y los abría. La vergüenza lo consumía, y el terror, y la desesperación.

Finalmente cerró los ojos, pero no importó nada porque vio y revivió la tarde aquella de hace quince años en que escondido tras la puerta vio a su madre llorar porque había descubierto los cigarrillos y la botella de Jack Daniels que él escondía bajo la cama.

EL REGALO

Maestro condecorado, hombre disciplinado y contribuyente puntual al erario público, Julio disfrutaba inmensamente de la casualidad de que éste año el Día del Maestro coincidiera con su cumpleaños. Decidió aprovechar el improvisado día especial de fiesta al máximo. Se tomó la tarde y en cosa de una hora se dirigió al centro comercial Plaza del Sol para ver una película en el cine localizado en los altos del centro. Pagó la entrada a una de esas películas futurísticas de Hollywood que intentan imitar a las europeas en eso de albergar varios subtextos filosóficos. Al comenzar la película notó que un grupo de estudiantes de secundaria, en pleno disfrute de su asueto, se divertía gritando y bromeando. Se reían de cualquier elemento inverosímil que apareciera en pantalla, típica reacción de quien desconoce el género y posee toneladas líquidas de hormonas descontroladas para agotar. Julio los miró en dos ocasiones con mala cara (a pesar de la oscuridad de la sala) y la tercera vez que lo hizo les pidió caballerosamente que desistieran.

—Por favor, jóvenes, que no se oye bien la película si no bajan la voz.

La explicación, como todo en la sala, fue meramente más combustible para los aprendices de vulgo.

—¡Ay, que no se oye!

—¡Ay, ay, por favor que bajen la voz!

—¡Ay, que no se oye la película, la película , la película!

Julio trató de hacer caso omiso de los comentarios, imitaciones profanas acompañadas de una entonación amanerada. La burla, sin embargo, continuó.

—¡Ay, ay, que no se oye, que no se oye!

—¡Ay sí, estoy sordo, bajen la voz, bajen la voz!

Julio se levantó y fue hacia uno de los porteros de la sala.

—Oye, hay unos muchachos que no se callan y no dejan oír bien la película.

—Dígame quiénes son.

—Venga conmigo. Mire, esos cuatro de la esquina.

—¡Eh, ustedes, a ver si dejan ver la película! A la próxima queja los echo de la sala.

Los muchachos se quedaron callados. Julio se sentó tranquilo y pronto logró recuperar el hilo de la acción de la película. Como cinco minutos después, sin embargo, alcanzó a escuchar un cuchicheo que poco a poco se tornaba en risería desenfrenada. Julio se levantó y fue a buscar al portero, pero éste no se hallaba en la puerta de la sala. Decidió regresar y se sentó dos filas más adelante de la del grupo. Pero el daño ya estaba hecho.

—Mira si se fue huyendo.

—¡Ay, ay, que no oigo, que no oigo!

—¿Qué fue, no apareció tu novio?

Ya a Julio la paciencia heredada y la urbanidad aprendida lo abandonaron a su suerte. Se levantó enfurecido y corrió a la fila del grupo. Los miró fijamente, desafiante. Algunos de los demás presentes lo miraron descorazonados, y hasta otro caballero se levantó con el fin de buscar nuevamente al portero para evitar lo inevitable.

—Mira se quedó frizao.

—¿Qué pasa pendejo? ¿Me vas a dar?

Julio avanzó, sin titubeos, sin deseos de pensar. Empujó al primero de los muchachos que se había levantado para ir a su encuentro. El empujón lo llevó a precipitarse sobre la fila de asientos y caer en el otro pasillo. Entonces tomó del cuello al segundo muchacho.

—¡Ponte a joder ahora cabrón! —le dijo inmerso en el nuevo paraíso que acababa de descubrir.

Los otros muchachos se asustaron y se fueron. Hombre de pura y firme vocación, Julio seguía y seguía, apretaba y apretaba, consumía y consumía los segundos, los minutos, el infinito.

Entonces el joven lo miró helado, fijo, del modo en que se mira a Dios.

LA BÚSQUEDA

Como a eso de la media tarde del viernes, Pedro Bembo Igartúa sonreía mientras perdía su vista en el horizonte humano y vegetal de Malabo. Esperaba en su despacho la semanal visita de Teodoro Deville, su amigo del alma, cuya búsqueda incansable del conocimiento complementaba la suya propia desde los años compartidos en la Universidad de Sevilla. Bembo, titular del Ministerio de Transportación, pasaba las más de las veces ocupado en su cátedra humanística de la Universidad Nacional. Desde su ventana llegó a intoxicarse de los atardeceres remotos, de los sonidos portuarios, de la canción huidiza del ave presa de los jardines.

—Pasa Teodoro, ¡qué bueno verte como siempre!

—Esta vez me he tardado un poco por las novedades del mercado.

—Algo hermoso para tu colección de animales de madera, seguramente.

—Nada de eso, se trata de otro tipo de novedades, de las que intranquilizan el alma. Una reyerta en el camino a Luba. No sé si rebelión propiamente.

—Hombre, no repares en esas cosas. Todo volverá a la calma. No pasa nada.

Bembo ha ido al armario, de donde extrajo una botella empezada de Cardenal Mendoza. Los amigos tomaron los vasos del habitual licor y se sentaron junto a la ventana. Desde las sillas dominaba la presencia del cielo y un poco de la vegetación del fondo.

—¿Y qué me dices de aquella duda con la que terminamos el viernes pasado?

—Pues mira que debo darte la razón. He releído las selecciones que indicaste de Azorín y casi me cambia la vida. ¡Qué hermosa idea esa de que no se puede quitar el dolorido sentir! Hay que ver cómo junta el sentir de Garcilaso al suyo. Un tiempo es el mismo de todos.

—Bello. Ya te lo decía. ¡Qué imponente visión de la historia y del puesto del hombre en la misma! Todo aparenta cambiar a su alrededor, pero es un espejismo. Fíjate cómo la literatura misma sirve como marco, como materia prima de esa reflexión tan exacta y ponderada.

Mientras Bembo armonizaba el pensamiento azoriniano entre sorbo y sorbo, y ante el entusiasmo de su amigo, a lo lejos, su sobrino Mauricio Nbé huye desesperadamente de cinco soldados del régimen. No se trata ya de invocar alguna protección bubi: es tarde y la muerte espera su llegada. Va llegando mientras maldice, mientras piensa en la decapitación de su hermano Pablo, en nada disímil a las apetencias nefastas pasadas en tiempos de Macías. "¿Hacia dónde voy?", pensaba, pero sabía que era hacia la muerte.

—Te equivocas Teodoro —corregía Bembo—. Villasandino figura en el *Cancionero de Baena* junto a Ferrús y a Macías.

—¿El de la leyenda?

—El mismo, el del dolorido quebranto que murió como amante sin suerte.

—¡Qué justo y preciso eso de morir por el dardo del rival! Historia y literatura se vuelven a unir nuevamente.

Nbé corría y corría. El sudor era ya su propia sangre. El sudor era la marca de su propósito, su visión de un futuro imparcial y justo, su sacrificio por una existencia rigurosa y llena de sentido. El sudor lo acorralaba. En nada le afectaba el fresco de la tarde que concluía. Subía y se alejaba, o eso pensaba. Poco tiempo pasa para escuchar el rastro de los perseguidores. No podía detenerse porque la muerte lo esperaba. La muerte, el futuro, el final, el inicio de otra larga lucha, otra que deberían seguir los que se enteren de su paradero, si es que llegan a enterarse.

—Nunca hice mucho caso de los poetas anteriores a Garcilaso. Ahora que me has mostrado ese poema de Boscán siento algo nuevo, como si un mundo se me revelara. ¡Qué excelente eso de que sea "justo en la mentira ser dichoso quien siempre en la verdad fue desdichado"!

—Pocos aprecian mi querido Teodoro el papel de Boscán en la lírica renacentista, más allá de los especialistas, por supuesto. No es solamente su encuentro con Navagiero, el que le sugiere el uso del endecasílabo al itálico modo. Es además su papel como traductor de Castiglione lo que abre la puerta a muchos en adelante. Demás está decir que cala hondo en la actitud de Garcilaso.

Los vasos de Cardenal Mendoza requerían un nuevo sustento. Bembo se apresuró a complacer la necesidad etílica de ambos, ahora enfrascados en una discusión más profunda que en otras ocasiones. Ambos se levantaron para mirar el horizonte. Oscurecía. Poco quedaba de las señas del sol.

—Y ese poema que tanto te ha gustado ha sido uno de mis favoritos por años. Fascinante esa unión de lo onírico y lo deseado, de la realidad y lo rechazado. Seguramente Garcilaso es el poeta superior, pero Boscán acierta en este soneto que le brinda inmortalidad instantánea. Es decir, podría coquetearse con la idea de que no hay realidad, o de que hay una conciencia de la ambigüedad, tanto de la percepción como de lo pensado.

Terminaba de caer la noche y Mauricio, aquel sobrino que Bembo estimaba en su niñez pero que por cosas del tiempo y de la vida se había distanciado hace varios años, caía dolorosamente al recibir la primera ráfaga. Sus piernas no resistían su peso y menos su voluntad. Contó cinco segundos antes de que cayera sobre sí el peso de uno de sus perseguidores. De inmediato sintió el puño en la espalda. Nbé gritó y maldijo de manera poderosa. Sus atacantes siguieron su labor, sacó cada uno un machete y se lanzaron todos sobre sus miembros. El grito de Nbé se pudo escuchar a lo largo de todo el Valle de Moka. Sus captores sonreían. La sangre ajena es ensueño del triunfo, y la prueba de la labor cumplida.

—Sí, será hasta la próxima, y no dejes de leer a Unamuno. Ya verás qué discusión buena tendremos.

—¡Cómo no, Pedro! Siempre se pasa bien entre los libros —concluyó Deville.

Se abrazaron y sendas sonrisas mostraron la candidez del sincero encuentro.

En la oscuridad naciente, el majestuoso Lago Biao recibía en sus entrañas los destrozos de un cuerpo lanzado por cinco sonrientes trabajadores.

EL LADO OSCURO DEL SOL

Esa mañana Waldo Ortiz tenía algo de dolor de cabeza. Se debió quizás al exceso de vino, algo de lo que se cuidaba, pero que en ocasiones se volvía difícil de controlar. Siempre habría que añadir el peso del pasado de todo hombre llegado a la cuarentena de edad: dos divorcios, un futuro algo incierto y sobre todo molesto, una casa casi en ruinas, la bendición de dos hijas que lo querían y lo entendían aunque vivían en el exterior, y la mejor intención de contribuir de manera contundente al escenario musical del país mientras enfrentaba la resistencia y la incomprensión de la mayoría. No ayudaba el tener que vivir en Bayamón, acaso la ciudad que aprendió a odiar desde pequeño, criado en la capital. "La vida es vengativa", solía pensar mientras tomaba café en las tardes, incluso de noche, en contra de toda recomendación médica imaginable. Ha de pensarse que no hay nada más hermoso que ser músico y lograr entender, pensar y ver las cosas desde un ángulo poco accesible a la mayoría de los seres humanos. Esto sólo ha de pensarse, porque el tiempo y la vida se ocupan de opacar cualquier hito de creatividad, por no decir de felicidad, en aquellos que han decidido dedicarse al sueño de las artes.

Esa mañana de domingo había quedado en verse con su amigo Blanco White, quien lo había llamado la tarde anterior para decirle que tenía un video con nueve canciones de la jira de 1991 de Yes. Waldo había adquirido recientemente una máquina que podía grabar de cinta de video a DVD. Era una máquina de sueños. Al recordar el acuerdo se sintió mal, pero era mejor salir de la visita temprano que esperar a la tarde.

—Llegaste temprano, como siempre. Y yo con sueño todavía bambalán —le indicó sin muchos deseos de hablar.

—Me puedo ir. Lo que hago es que te dejo la cinta y tú después te haces una copia y me haces otra a mí.

—No, está bien. Tengo que levantarme alguna vez. Vamos a darnos un café entonces.

Al abrir la nevera se dio cuenta de que no había leche. De hecho, no había café suficiente ni para él, y peor, no quedaban cigarrillos.

—Acompáñame al supermercado, a comprar café y cigarrillos. Yo que invito y no tengo ni pa' mí.

Ambos se montaron en el auto del visitante y partieron al supermercado *Pueblo* que quedaba cerca, en Plaza Río Hondo. Waldo titubeaba entre contar o no la conversación circular y quimérica que había sostenido por teléfono con su ex esposa reciente durante la tarde anterior. Se desahogaría, pero a la vez recordaría y volvería a pasar por el mismo vuelco desenfrenado de emociones encontradas que se amparaban siempre bajo el alero de la inseguridad. Decidió evitar ese derrotero.

—Estoy escribiendo unas cuantas piezas medio "fussion" y medio progresivas con la ayuda de un programa nuevo de la computadora. Después de grabar te las pongo a ver qué opinas.

—Si se parecen a lo que me pusiste la otra vez que estuve acá no dudo que me gusten.

—Bueno, son algo diferentes. Tienen menos teclado y más interacción entre violín y guitarra.

—¡Ah!, eso promete. ¿Has pensado en un título para el proyecto?

—No todavía no pienso en eso,es temprano.

—¿Qué te parece, "Una vuelta al castillo"?

—¡Qué sucio! Eres un maldito. Sabes bien que no me gusta que me recuerdes al Kafka ese. Por mi madre que es lo peor que he leído en mi vida. Leerse a Kafka es como cagar pa'l seto.

—Sabes que me agrada recordar los viejos tiempos.

El auto se aproximaba ya al estacionamiento del supermercado. Se estacionaron en el primer espacio que encontraron. Bajaron del auto y Waldo comenzó a caminar en dirección al cajero automático.

—Estoy pelao así que voy a la escupe pesos.

—No hay problema.

Al acercarse a la máquina notaron una corta fila. La última persona de la misma les llamó mucho la atención. Una mujer, como en sus veintiocho o treinta años mecía y balanceaba rítmicamente su cuerpo de pierna a pierna. El baile íntimo no habría sido tan notable si no fuera porque llevaba puesto un vestido negro, de corte asimétrico, y unos zapatos de tacón alto, charolados y exquisitos. De espaldas aparentaba llevar un recorte a modo de paje, y se podía distinguir uno de los aretes entre el cabello. Parecería haber acabado de salir de una discoteca, a juzgar por la hora temprana de la mañana, pero no daba muestras de cansancio ni de gastado aliño. Más bien se diría que acababa de prepararse, lo que delataba en algo la fuerza del perfume que llevaba. Waldo se notaba visiblemente atraído a la mujer y, como buen músico, la seguía rítmicamente con los ojos y golpeándose con su mano en el muslo. Blanco White se percató de la circunstancia especial y decidió dejar que las cosas fluyeran.

—Waldo, te espero adentro.

—Bien, voy cuando termine aquí.

Agradecía con una sonrisa el gesto de complicidad y regresó así a su descubrimiento. La muchacha dejó caer un objeto, un lápiz labial, y Waldo avanzó a recogerlo.

—Tenga señorita creo que esto es suyo.

Ella no se había percatado de la pérdida y se sorprendió.

—Gracias.

Waldo entonces vio por primera vez su rostro. Sus ojos pardos, redondos y grandes matizaban una frente amplia y lisa. Su boca culminaba en unos hermosos labios delicados. Cruzaba su rostro, sin embargo, una cicatriz notable y ancha, a lo largo de la mejilla derecha, desde la oreja hasta el mentón que ella intentó cubrir con el cabello súbitamente. Waldo titubeó un poco y ella lo notó. Iba a volverse hacia la máquina, lo que pasó sin mayores contratiempos. Waldo pensó que había perdido la oportunidad de iniciar una conversación. El detalle inesperado lo frenó en el peor momento. Ella terminó de usar el cajero automático e inició la marcha hacia a su automóvil. Waldo la siguió con su mirada. Ella, al entrar se fijó en él, y lo miraba mientras encendía. Su expresión era fría, inmutable. Waldo no podía dejar de mirarla fijamente, con el rostro de quien descubre al fin una secuencia de notas perseguida.

—Te has tardado y pensé que hablaban.

—No hombre si me pasmé como un pendejo. Nunca me había pasado algo así. Qué mujer bella y extraña. Le recogí un lipstick que se le cayó y cuando se viró tenía una cicatriz en la mejilla.

—La he visto antes. ¿Una cicatriz, como de navaja?

—Esa misma.

—La volverás a ver. La he visto comprar aquí.

Ambos entraron al supermercado y mientras compraban Waldo hablaba de la posibilidad de que todo fuera un encuentro cósmico, dimensional, o causado por algún designio masónico. Blanco White, por supuesto, escuchaba, y hacía caso omiso de esto último.

—Bueno, vamos a grabar aquello de una vez. Olvídate de los cuentos y desayunemos vino con queso.

Y Waldo asintió.

Una semana después el recuerdo de la mujer de la cicatriz asaltó nuevamente a Waldo. Volvía al supermercado y por instinto miró hacia el cajero automático. No había fila esta vez. Waldo fue a sacar algo de dinero para comprar cigarrillos, vino, café, leche y tal vez filete.

—Sé que no te pasmaste de susto ni nada así, y que no habrías querido que me fuera sin decirme algo.

Esta vez la sorpresa era mayor en Waldo, que por fin escuchaba a la mujer. Allí estaba, otra vez muy bien vestida, observándolo con un gesto que no se podía determinar si era o no una sonrisa plenamente.

—Perdona el incidente, no sé bien qué me pasaba por la mente.

Hablaron como si se conocieran de muchos años. No ocultaba Waldo la sensación de bienestar de poder enmendarse, por así decirlo. Muy buena conversadora, inteligente, conocedora de música (dijo tocar algo de piano) y además, pues, hermosa. Algo aquejaba solamente a Waldo, y era el sentirse algo desubicado al estar frente a ella en unos mahones viejos y una polo shirt ultralavada y desmerecida.

—Te invitaría a un café o algo, pero la facha...

—No te debes sentir mal, aquí la mal vestida para la ocasión soy yo.

Deseaba Waldo preguntar el porqué de su vestimenta. ¿Iba? ¿Venía? ¿Ocultaba algo? "Déjame dejar de estar pensando en eso que se me va a zafar cuando menos me lo imagine", pensó a modo de amonestación.

Poco más de media hora pasó antes de que tuvieran que despedirse.

—Oye, y si te dejo mi número, ¿me llamas? Nada más para seguir hablando y tomarnos algo.

—Por supuesto.

Ella sacó de su bolso un bolígrafo y un pedazo de papel. Anotó el número que Waldo dictara, y guardó el papel. Waldo no se atrevía a pedir su número, lo que ella notó.

—Toma el mío. No te atrevías a pedirlo, se te ve. Y no entiendo por qué si eres todo un caballero, y te confieso que con pocas personas hablo tanto y tan interesante.

Volvió a sacar papel y bolígrafo para escribir. Waldo guardó el papel y le dio un beso en la mejilla para despedirse.

—Llámame al amanecer, siempre estoy despierta a esa hora.

—Lo haré.

Ella se dirigió a su automóvil y Waldo se encaminó nuevamente al supermercado. Pensaba éste en lo bueno que había sido por fin conocer y hablar con la mujer del traje negro y ya ensayaba en su mente futuras conversaciones y posibles lugares para invitarla a salir. Antes de entrar al automóvil ella volvió a mirar hacia Waldo que avanzaba sin titubeos, acaso feliz. Se sentó y al encender, escuchó la acostumbrada voz de su despreocupado patrón, quien acariciaba la navaja en el bolsillo.

—Te tardaste.

—Descuida, amor, le di un número falso.

EL "TERMINATOR" BORICUA

E rnesto y Arturo Lugo nunca zanjaban sus diferencias. Los hermanos se conocían demasiado bien, y por lo mismo, como si amaran toda paradoja, se querían incondicionalmente. Fuera por su proceder en un partido de baloncesto cuando niños, o por las consecuencias de tal o cual hecho en la historia insular, o por su reprobación a la elección momentánea de novia de alguno de ellos discutían ferozmente. Ahora a sus ciento un años de edad (cincuenta y uno Ernesto y cincuenta Arturo, por supuesto) su vida se coronaba de la dicha de quienes han logrado sentir que su vida ha valido algo. Ernesto era ya el vicepresidente de un laboratorio afamado localizado en la antigua Ensenada y enseñaba Física en el Recinto de Mayagüez de la Universidad. Arturo enseñaba Humanidades, y había publicado una decena de libros de tema histórico y cultural. Ambos eran el orgullo de su familia, bien que la misma se quejaba de que siempre tuvieran que reñir tan encarecidamente.

—Resígnate y celebra conmigo que ya no hay vuelta atrás—decía Ernesto mientras sonreía a cántaros. Los hermanos iban de camino al laboratorio de Ernesto, pedido poco usual de Arturo en una tarde hermosa y soleada.

—Morir prefiero antes que resignarme —contestaba despacio Arturo.

—No eres sensato y te vas a amargar. Piensa en todo el bien que has hecho por los estudiantes y reconoce que esa es tu vocación no importa lo que pase. La vida es así y nada va a cambiarlo. Mientras más pronto lo aceptes más pronto te recuperarás. ¿Y para qué querías que te llevara al laboratorio? Mira que día regio, deberíamos ir a Joyuda o a Boquerón, o al menos a la Parguera que nos queda en el camino.

—Cállate ya y habla de otra cosa.

—Bueno, es que me tiene intrigado el paquete que pusiste en el baúl.

—Ya te enterarás. Sigue guiando.

Más que malestar era ansiedad lo que sentía Arturo. Deseaba llegar de una vez al laboratorio de Ernesto, donde podría echar a andar el plan urgente que había decidido adoptar como suyo. Algunos meses atrás apareció en la biblioteca de su casa un objeto peculiar. Tenía la forma de una ametralladora prolongada o un rifle oblongo o algo así. Venía acompañado de una nota que leía en inglés "Use the gun, you will know what to do when the time comes, and it will come soon. Change things way back then. Put the small cylinder in the machine and you will get there. The machine has been confiscated in our time." Envuelto en la nota venía un cilindro que aparentaba ser de diamante o de algún tipo de cristal. Al final de la nota firmaba un tal "The Last One" y seguía una fecha, "2198", y el dibujo de la bandera de la Revolución de Lares. Arturo, después de algunas semanas comprendió que se trataba de un mensaje, de un pedido de auxilio, y por esto se le iba la calma, se le iba la vida. Alguien desde exactamente un siglo en el futuro le advertía de lo que pasaría en la Isla, ahora que la suerte estaba echada.

Ernesto estacionaba ya su *Cadillac* seudo-levitante del 2095.

—Llegamos. Ahora di a donde quieres que vayamos.

—Vamos a la máquina, que vas a hacer un experimento de primera.

—No me jodas Arturo. Sabes bien que la máquina no es para juegos y que todavía está en una etapa experimental.

La famosa máquina era simplemente la primera máquina para viajar en el tiempo. Ernesto, genial científico, había contribuido a su creación, por lo que contaba con uno de los prototipos del proyecto. Ha de aclararse que de hecho, su modelo era el mejor de los que se habían construido.

—¿Para qué coños quieres usar la máquina?

—¿Prometes que me escucharás?

—Acaba y dime.

Se habían sentado en la antesala que daba al cuarto donde estaba la máquina. Ernesto palidecía ante lo que le parecía una locura de Arturo. Muchas veces se habían enfrascado en discusiones que rayaban en la violencia. Su firme sentido de lealtad a la sangre, a la crianza, a sonreír y reconocer la integridad de cada cual era lo que siempre resolvía el pleito a favor de ambos. Ernesto escucharía. Nunca su hermano había sugerido una locura, aunque deseara Ernesto en el fondo que se equivocase.

—¿Recuerdas hace un tiempo que me llamaste y no quise atender tu llamada por mucho tiempo?

—Claro, todavía me pregunto qué habrá sido todo aquello.

—Pues esa tarde cuando llegaba a casa escuché un ruido que venía de la biblioteca, y cuando entré en ella esto fue lo que vi.

Arturo abrió el paquete, y sacó de entre varios objetos el rifle oblongo y extraño.

—¿Y eso?

—Tú me podrás decir mejor que eres el experto, pero me imagino que es algún rifle laser o algo así. Apareció de la nada junto con una nota que daba a entender que venía del futuro, de un momento en que tu máquina ya será algo común o al menos desarrollado.

Ernesto lo tomó. Abrió el cuarto de pruebas y puso unos cilindros de metal en una cabina experimental. Disparó el arma y vio como se desintegraban los objetos.

—Es un laser que desintegra. Es un arma excelente, peligrosa en exceso. ¡Dios Santo, es algo de otro mundo Arturo!

—Me lo imaginaba.

—¿Pero por qué te mandan esto a ti?

La discusión tomó el giro que se esperaría. Para Ernesto se aclaraba el sentido de todo aquello. Su hermano sería la única persona capaz de entender el propósito del mensaje, y en esencia, era el único lleno de la voluntad para realizar el pedido extraordinario.

—Hay un problema, Arturo. La máquina, en su estado presente sólo viaja al pasado, y hasta el momento en que ha sido creada.

—Yo sospecho que este objeto deberá corregir esa limitación.

Arturo le dio el cilindro cristalino que acompañó el mensaje y el arma. Ernesto asentía al reconocer a simple vista lo que era todavía una idea que se gestaba en su mente y sus notas.

—¡Formidable! ¡Excelente! ¡No imaginas lo que esto adelanta el proyecto, lo que representa para la ciencia!—, exclamaba emocionado Ernesto, ya casi dando muestras de entusiasmo y deseos de echar a andar el experimento.

—Sí Ernesto, me imagino lo importante que debe ser esto y todo lo que adelantará. Pero representa otra cosa para mí y lo sabes.

—Lo olvidaba, es cierto, lo siento. Sabes que no puedo permitírtelo, que va en contra de lo que siento, y además eres mi hermano.

—Déjame ir Ernesto. Piensa que este objeto es mi regalo para ti y para tu mundo, para tu futuro, pero bien sabes que no es el futuro que yo quiero.

—Resígnate Arturo. Seremos estado de la Unión dentro de cosa de meses. ¿No puedes sentirte feliz por mí y por los otros que hemos deseado esto por dos siglos ya? Eres valioso, quédate.

—No será mi mundo, Ernesto. No lo podrá ser nunca. Te quiero, hermano, pero ese no podrá ser mi mundo nunca. Regálame el mío.

Ernesto ya veía como el peso de sus emociones lo sumergía en la oscuridad del dilema. Acceder era trastocar tal vez el orden universal. Por otro lado era su hermano, el de las riñas, el de las satisfacciones, el de toda una vida de integridad, amor y lealtad. Lo miró fijamente a los ojos. Suspiró fuertemente, se pasó la manga de la camisa por los ojos para ocultar una lágrima y le sonrió.

—Tal vez no nos volvamos a ver, ¿sabes?

—Tal vez nunca seamos, lo sé. Pero debo hacerlo Ernesto, por lo que más quieras entiéndeme. No me niegues esto.

—Nunca te he fallado Arturo. Ven, entremos. Te voy a regalar un mundo, espero.

—Yo también lo espero.

—A mí no me cabe duda Arturo, lo vas a lograr.

Mientras Ernesto preparaba la máquina, Arturo sacaba del paquete unas granadas, un revolver semiautomático último modelo, y varias cajas de municiones.

—¿Y ese mini-arsenal?

—Nunca se sabe cuándo se van a dañar las cosas, así que lo llevo por si acaso.

Y se rieron a carcajadas juntos por última vez. Al beso en la mejilla siguió un abrazo interminable. Arturo se ubicó en el espacio que le correspondía en la máquina con el arsenal y el rifle oblongo.

—¿A qué hora prefieres llegar Arturo?

—Que sea al atardecer de la víspera. Quiero tener tiempo para pensar, y para recordar.

Ambos se sonrieron. Ernesto marcó la fecha precisa. Se miraron fijamente otra vez. Se sonrieron.

—Dale mis saludos al general Miles—le dijo Ernesto, al pulsar los controles. Y Arturo, agradecido, y con alguna lágrima, alcanzó a contestarle mientras se desvanecía:

—Con gusto, con mucho gusto...

LOS PANTALONES

—Ay, que la cabrona Maniac no acaba de llegar! —lamentó acaloradamente la Sayaka acercándose a la barra del negocio.

—Deja de salir fuera nena que se van a dar cuenta —le contestó la salomónica Lucy—. La llamé al celular y no contesta. A lo mejor no viene este fin de semana.

—¡Eso no! No puedo quedarme hoy sin mi rola, ni pa'l carajo. Y la Maniac de seguro preparándose para repartir la felicidad en un maldito party de comemierdas. Y una aquí que tiene que trabajar toda la noche.

—¡Cállate ya! Recuerda que no te puedes poner glamorosa para ir a un party de esos. Nosotras nos tenemos que conformar con ir a *Eros* y a otros rincones más humildes. ¡Y a saber en lo que anda aquella! Bien puede ser que la muy cabrona se fuera temprano donde la diseñadora de mierda esa que le hace siempre los pantalones brillosos y no se acuerda de que tiene que pasar por aquí.

—¡Ay sí! Me la imagino ahora mirándose al espejo, poniéndose las manos en la cintura y diciéndose "Yo soy la presencia".

—Y¡ cómo se pasa gel! Debe tener el pelo ya como casco de soldado. Un jíbaro es lo que es.

—¡Y todo porque se cree lindo! ¡Y si los pantalones le quedaran en verdad bien, oye, que no, que son puro *shinny, shinny,* patitas de neón. *Glow! Glow girl!* Ya quisiera verlo aquí de bartender, a ver si se ve lindo todo el tiempo.

Por supuesto, no se equivocaban la Lucy y la Sayaka, ya que Freddy Troche, mejor conocido como la "Maniac", se miraba ante el espejo de Danielito, su diseñador y amigo de tantos años, que esa noche lo había llamado porque había terminado unos pantalones satinados negros con diseños de dragones que le había prometido hace un mes. La Maniac sonreía mientras modelaba ante el espejo, en el que se veía su nada delicada figura enmarcada por sus anchos hombros y sus cuadradas nalgas.

—¡A la verdad Danielito que son los mejores pantalones que me has hecho!

—¡Ay gracias, Freddy! ¡Pero es que a ti todo te queda tan bien!

—¡Verdad que sí! Es que mírame —y mientras tanto pasaba su mano por sobre el ya rígido cabello—, tú sabes que yo soy la presencia.

—Sin duda alguna amor, que siempre que entras al club o llegas a una fiesta la gente te tiene que mirar.

—Hablando de fiestas loco, me tengo que ir porque esta noche hay un party con DJ Icey, nene, y allí se me vacía la carga.

—Ese es el que te gusta mucho.

—¡Ay sí Icey es el mejor! ¡Es que él toca unos *breaks*!

—Yo iría pero ya estoy viejo para esos trotes. Lo mío es ir a fiestas tranquilas en los hoteles o en las casas.

—Con tu clientela.

—Sí niño, mi clientela, como tú que ahora vas a ver a la tuya.

—¡Ay qué cómico este Danielito! Nene, pues ya te pagué así que te veo la próxima semana.

—Diviértete, pero con cuidadito.

Al beso en la mejilla siguió el apretoncito del abrazo. La Maniac se encaminó feliz a su *Mustang* del 2003. Hoy DJ Icey, su DJ favorito, tocaba en un club de San Juan y eso no se lo iba a perder por nada. Era también la ocasión, el escenario idóneo para vaciar su carga semanal de pastillas, recreación tan apreciada por la juventud que heredará pronto el destino impuesto y demarcado por la elite sanjuanera. Pero ese es un mero dato aislado, una nota curiosa que no preocupa a la Maniac, que va divina y que había pasado ya por su debatible ritual de 11: 30 pm, una pepa y dos pases de la blanca y pura caspa del diablo, sustento y alivio de toda alta sociedad hispanoamericana y de las vecinas. Tanto fue el entusiasmo por la prometedora noche que la Maniac se había olvidado de sus proletarias amigas que la esperaban en la barra de otra discoteca menos afortunada.

—¡Que no llega y que no contesta la muy cabrona! Espera, espera que le salió el voicemail: ¡Oye Maniac, cabrona, si no vienes te vamos matar a la Danielito para que no te vuelva a hacer más pantalones ridículos!

—¡Ay Sayaka cállate ya y devuélveme el celular. Si no viene nos resolvemos con otra cosa. Y ya verás que la pasamos bien chévere aquí cuando se acabe nuestro turno.

—¡Ay Lucy no! ¡Cómo te conformas! Yo que me lo conozco me lo imagino allí donde Danielito perdiendo el tiempo. ¿Qué crees si nos cogemos un breiquesito y lo buscamos allá?

—Nena no. ¿Qué desesperación es esa?

—¡Ay sí nena! Y vamos y la asustamos donde Danielito y golpeamos bien duro la puerta y gritamos como machos que somos la policía para que se caguen encima.

—No, no, mejor vamos por la madrugada. La Maniac siempre pasa por la madrugada que y que a desayunarse allí. No creo que esté ahora.

La discreción de la Lucy dio fruto y la Sayaka se calmó los apetitos. El local comenzaba a llenarse de su usual clientela gótica sabatina, y entre trago servido y trago cobrado la Sayaka y la Lucy se integraron al fluir natural de la noche.

La Maniac se dirigía a San Juan, mirándose de vez en vez en el espejo retrovisor para ultimar detalles de su apariencia.

Le era imposible estar más de un minuto sin volver a pasar las manos sobre el cabello, a ver si la gel cumplía bien con su función, a ver si los pelitos de por la oreja no estaban levantados, o a ver si las cejas estaban bien alineadas. Ya en la fila del club le entró la comezón de que era DJ Icey. Si salía pronto de sus dádivas la pasaría "relax", "chilling" y a bailar tranquilo sin que lo interrumpieran. "A lo mejor uno de estos nenes riquitos se quiere ir conmigo hoy", llegó a pensar víctima de su entusiasmo demencial por el canelo. Y a los pocos minutos le explotó aquello, quizás más temprano que de costumbre, todavía lleno el furgón.

"¡Ay qué rico se siente esta música, pero me debo ir a la pared un ratito porque me estrello", pensó en su único rapto de razón.

—¡Hola Maniac que chévere verte! ¿Tienes por ahí de aquello? —le preguntó la muchacha flaca que siempre viene sola.

—¡Hola bella, tanto tiempo! ¿Cuántas quieres? —le preguntó, acaso inseguro de lo que decía.

—Dame dos. Oye, ¿estás bien? ¡Ay, cómo no vas a estar bien! ¡Qué tonta soy! ¡Mira esos ojos como están! ¡Ay Maniac siempre tan bello!

Luego la muchacha le besó el cachete mientras le daba el dinero en la mano.

—Espérate aquí que vuelvo enseguida.

La Maniac pasó al baño donde sacó con dificultad las dos pepas que había pedido la hermosa niña torrimaresca. Regresó a paso más lento que el usual, la abrazó, y le puso las pepas en la mano con el mayor de los disimulos. Se despidieron después de otro apretón. Logró despachar dos pedidos más sin novedad, pero acaso preocupado por su condición.

"A la verdad que éstas están bien buenas".

El club ya estaba bastante lleno y faltaba sólo media hora para que le tocara el turno a DJ Icey. A la Maniac le molestaba algo el calor. "Por qué no suben el aire", pensaba mientras se conformaba con pedirle sorbos de agua a todos los conocidos.

Algo le molestaba, y entonces le dio la manía (siempre alguna le daba) de que debía cambiar las llaves del carro del bolsillo "ocupado" al otro bolsillo, o tal vez a uno de los bolsillos traseros. En medio de la multitud ensayó la mudanza. Y ahí fue Troya: el furgón se vació por completo.

"Mierda", pensó de inmediato y trató de agacharse para recoger lo que pudiera del reguero, pero desistió. Ya muchos las pisaban, ya otros recogían por su cuenta, y de todos modos si lo veían a él recoger era algo así como calentarse mucho. No delatarse tenía un precio, sin embargo. "Y ahora qué hago?" Y la pregunta venía a cuento, porque por estar gastando dinero en pantalones "fancy" no tenía suficientes fondos para saldar la pérdida con su "gerente". Y algo tenía que pensar pronto o habría de joderse. Y hablando de joderse se jodió DJ Icey y se jodió la noche "chilling" y se jodió la eternidad.

—¡Cuco, Cuco, mira, resuélveme! —alcanzó a decirle a su competidor benigno, encargado de la zona VIP.

—¿Qué fue Maniac?

—Se me cayeron todas chico y las debo todas hoy. Mira a ver si me das de las tuyas para resolver la venta hoy y yo te pago mañana.

—Difícil. Casi no me quedan y seguro que se darían cuenta. Las tuyas son casi siempre de las *supermanes* blancas papito, y tú sabes que yo traigo de las rojas y de las *clovers* verdes. Si alguien lo nota dicen por ahí que me estoy metiendo contigo y se forma. No, no, lo siento.

—¡Coño Cuco!

—No puedo, hombre —y se marchó.

La Maniac sabía que la noticia se regaría. La movida de hablarle a Cuco tenía su doble ángulo, y aparentemente le tocó el lado que no quería. Ahora sospechaba que el innombrable "gerente", ese adepto a los despidos contundentes y sin mesada se enteraría. La Maniac quería llorar mientras todos los demás gozaban con DJ Icey que ya había comenzado. Pero la Maniac ni cuenta se dio de ello.

"Tal vez Danielito me resuelva, o me dé de préstamo lo que le pagué de hoy y otro poco, y tal vez con eso me da. Pero hay que llegar ya, eso es hoy, eso es ayer. Ojalá que el cabrón no se haya dormido o se haya emborrachado".

La frescura de la noche la saludó al salir del local. Avanzó al automóvil mientras se escuchaba el estruendo musical al fondo. Al frente, en la bahía, pasaba uno de los cruceros en silente marcha hacia las hermanastras de nuestro caribeño orfanato. Pero ese era otro superfluo dato más, y la Maniac sólo podía pensar en el sudor que poco a poco se le helaba.

Ya en Santurce se estacionó frente a la casa. La luz de la sala y la de la alcoba estaban prendidas.

—¡Danielito abre que soy yo! —gritó mientras golpeaba la puerta. Esperó como un minuto, pero había escuchado movimiento en el interior. Sería cosa de unos segundos más.

—¿Maniac? Todavía no son las seis. ¿Qué pasa?

—¡Ay Danielito resuélveme, que se me cayeron casi todas las pepas y no tengo para cubrir! Dame lo que te di hoy y como trescientos pesos más y yo después te lo pago en la semana. Si quieres te dejo los pantalones aquí, si quieres te dejo el carro, pero resuélveme que aquél es paranoico y va a venir a joderme.

—¿Cuánto debes?

—Mil.

—Eso está feo, pero no puedo ahora. Me gasté parte de lo que me diste ya en más perico. Mañana es domingo, ¿qué digo?, hoy, y lo único que puedo sacar del ATH es como 400 dólares. El lunes a primera hora podemos ir al banco.

—No, no, que se va a enterar ya. Eso se regó en el club seguramente ya le habrán ido con el cuento.

—Pero tú nunca le has fallado.

—Pero él no perdona eso, está medio loco. Tiene manía de que todo el mundo se entera y que él se va a joder y prefiere joder a todo el mundo antes. Chico dame algo hoy, dame lo que me dijiste y le pides a algún amigo.

—Déjame ver a quien consigo, aunque lo dudo a esta hora.

Y mientras Danielito usaba el teléfono pasaron varios minutos que como horas se sentían en el silencio de la madrugada dominical.

Entonces tocaron a la puerta.

—¿Quién será? —preguntó Danielito mientras abría despreocupadamente.

Y prontamente entró alguien que Danielito no había visto nunca, pero que le era demasiado familiar a la Maniac.

Dos horas más tarde la Lucy y la Sayaka doblaban por la esquina de la calle Estado.

—Allí está el Mustang, así que ya llegó.

Se apresuraron a estacionarse detrás del bólido de la Maniac y se bajaron con la alegría mítica de las ninfas del monte. En voz baja cuchicheaban ante la puerta.

—¡Shhhh! Gritamos ahora con voz ronca, ¿oíste?

—Sí, sí.

—¡Abran la puerta, es la policía!

Por supuesto, nadie contestó.

CARTA DESDE ESPAÑA

Querido Waldo:

Espero que al recibir la presente te encuentres bien. La distancia es siempre germen de la nostalgia, la que sufro de vez en vez aunque ya todo esté decidido. A ti comunico mi suerte reciente porque sé que me entenderás. Darás fe de lo que digo sin ornamentar ni criticar, lo que te agradezco desde ahora. Tanta es mi confianza en tu juicio. Cuando te pregunten por mí puedes ser fiel a lo que te relato. Ya quisiera amigo que estuvieras aquí, pero sé que te atan compromisos de fuerza mayor, precisamente los que al sol de hoy he evitado, lo que me ha permitido dedicarme al simulacro de existencia que ejecuto.

Comienzo por decirte que mi adorada y yo llegamos a Ibiza hace dos semanas. Como sabes, nuestra intención era la de centrarnos en Madrid, ir a museos, librerías y bibliotecas, pasar por la Academia, retratarnos frente a toda estatua decente y regresar contentos, inspirados, luego de deambular por los recovecos occidentales de nuestro origen amelcochado. Todo iba según planificado hasta que conocimos a una pareja de Sevilla en una discoteca de Madrid. Ella se llama Susana y él se llama Ernesto. Esa noche la pasamos regio. Hablamos de lo que nos gustaba, de lo que hacíamos, etc. Ella enseña teatro y él trabaja como delineante, aunque estudió también algo de pintura e historia de arte.

No sé exactamente cómo describirte el impacto de este encuentro. Todo se sentía como una cornucopia aderezada, como el barril sin fondo, como el universo en una lata. Ningún tema se agotaba. Hablar con esta gente era interesantísimo y estimulante. Bailamos y bebimos, como era de esperarse, y a eso de las cuatro de la madrugada a Ernesto se le ocurre que nos larguemos todos a Ibiza para compartir una odisea dantesca e irreal. Como siempre, me sentía algo reservado, cauto, inseguro ante lo inesperado, pero ya sabes que entre palabra y palabra entre los tres me convencieron, especialmente Stigma, tan precisa y segura, feliz de saber que su sueño de ir a Ibiza se le presentaba en bandeja de plata. Poco le costó convencerme cuando cotejamos nuestras finanzas inmediatas. Todo me pareció razonable, y aún más cuando Ernesto se ofreció a negociarnos la estadía en el apartamento de su hermano, que reside en la isla.

Llegamos temprano un viernes. Te imaginarás los planes de destrucción total de la conciencia que albergábamos, hijos de nuestra precaria tradición sanjuanera, tan perpetua e inalterable. Stigma no cabía dentro de sí, estaba ya dentro de su sueño. Al llegar al apartamento del hermano de Ernesto (nada del otro mundo, pero espacioso y cómodo, amén de que Jacinto, el hermano de Ernesto, era buena onda) no hizo ella más que acomodarse y vestirse regiamente, dama fiel a la oscuridad, al cuero, al vinilo, y al fin del mundo. A Susana le fascinó el atuendo, si bien ella era más mujer de mini faldas y trajes reveladores (se me olvidaba describírtela: pelo castaño claro, ojos verdes, algo más alta que Stigma, simpatiquísima y audaz con la palabra y con la acción). La esposa de Jacinto se llamaba Begoña, y como toda mujer llamada Begoña no merece ser descrita.

Ernesto me indicó que esa noche nos quedaríamos en el pueblo, así que iríamos a un club llamado *Pacha*. Felizmente nos montamos en el auto de Jacinto y nos encaminamos al local. Después de algo de fila, y de pagar bastante por la entrada, nos acomodamos al "techno" que ambientaba y al exceso visual del recinto. ¡Si estuvieras aquí! ¡No, jódete, no vengas esto es para mí! Nada más te molesto hombre. Seguro que la pasaríamos fenomenalmente con tu compañía. El caso es que cuando finalmente llegamos a la pista, yo ya sentía que no quería que la noche terminara. Jamás pensé que se podría besar de tantas maneras. Aquí, allá, besos en todas partes. Tal vez es que yo ya he olvidado besar de esa forma, pero todo me parecía nuevo. Una pareja cautivó más mi atención. Ella era rubia, de revista, falda corta blanca; él con aspecto de gimnasio, pelo oscuro, si mal no recuerdo. Aquello sí era un abrazo, y los movimientos, el ladear de mejillas.

Stigma viene y me informa que Ernesto le ha dicho que el DJ es Pete Tong, y ya percibo su alegría pues sé que es uno de sus favoritos. Sé bien que a ti no te apetece tanto esta música, que lo tuyo es el guitarreo indómito y por supuesto, también yo lo prefiero. Pero es cosa de contextos. Aquí la pista, Stigma me lleva, bailamos y me siento resuelto a picar mi edad por la mitad, a sentirme otra vez desenfrenadamente joven. ¿Qué es la música? Aventuro recordar tus conversaciones, y mientras bailo me sumerjo en el aprecio de esta forma extraña y artificial de la matemática. Y siento que es un llamado esto del ritmo que dentro crepita, que se repiten los patrones, y que estas repeticiones son las que dan sentido y forma a la indistinta materia numérica. Somos porque repetimos. O porque nos repiten. Me llamo como me llamo porque lo repetían los que me llamaban. Así la pieza depende de la repetición de algún patrón. Me parece imaginarte elaborando mejor que yo esta teología sintética. Y repito, esta vez mi tercer beso interminable con Stigma,

Susana me interrumpe, me llama aparte. Y tal cual te lo refiero.

—Hay éxtasis puro en cápsulas, no en pastillas.

—¡¿De veras? Va mucho tiempo de que pruebo de esas.

—Yo quiero —avanzó a decir Stigma—. Dale chavos a Susana. ¿Cuánto vale?

—Sólo dame como cincuenta euros y nosotros nos encargamos del resto.

Y yo felizmente dejé que se encargaran de esos menesteres mercantiles propios del Mediterráneo, de esta zona espectacular del comercio de bienes y de sangres, zona de la *lingua franca* y el entenderse todos como iguales. ¿Qué será eso de ser todos iguales? Tanto nos arrebata crear distinciones, lo que tal vez sea una faena imprescindible. ¿Quién soy aquí entre esta masa de carne y pérdida de todo decoro? Y me río de como hemos perdido tanto tiempo todos. Pienso en todos los que occidentalizaron nuestra África, pienso en todos los que africanizan nuestro Occidente. Matemos a los indios que no nos sirvieron de nada (la hamaca, ¡oh, recordar la hamaca!), sintamos el delirio de las tres carabelas mientras me tropiezo con estos cuerpos que lanzan sus zarpas.

Vuelve Susana y me da en la boca del preciado elixir. Veo como Stigma impaciente aguarda y celebra. Ella feliz, que todo le afecta con celeridad. Mi metabolismo es lento, por lo que todo tarda, aunque entonces me dura más tiempo, mucho más tiempo. Bailo y veo como poco a poco Susana se acerca a Stigma y se solemnizan. Hace tiempo que no la pasaba ella tan bien como esta noche. No pasan ni quince minutos y ya le hace efecto el hechizo. Me sonríe y se entrega en sustancial beso con su consorte. Me urge entonces volver a ver a la pareja del beso y me lanzo a buscarlos. Cosas que le dan a uno: aquella imagen me caló el alma. Los veo por fin, en otra parte, cerca de los servicios. Se sujetan, se acarician, se quieren. Sonrío. El universo no es tal vez mío pero sé que existe.

Y entonces me interrumpe Ernesto para indicarme que iremos a *Space*, que es a esta hora (casi amanecía) que empieza a ponerse buena la cosa allí. No recuerdo bien la ruta, pero sé que salimos del pueblo y que se veía la playa. Este lugar es una fiesta de día. No me extraña, pero no es lo que acostumbro y me tardo algo en ubicarme. Ernesto me trae agua. Desea hablar.

—¿Cómo la pasas hombre?

—Jamás pensé que vendría, ¿sabes? Esto ha sido una grata sorpresa para ambos, especialmente para ella que siempre quiso venir alguna vez.

—Me alegra mucho, y ya sabes, aquí para lo que deseen que somos familia.

—No puedo imaginar qué más pedir a la velada. ¿Qué se yo? ¡Qué no termine nunca! Eso es, que no termine jamás.

—Vamos hombre, que si es así luego no comienza otra.

—Es un decir, chico, nada más un decir.

Un decir, un deseo, y un preámbulo a que de pronto es en mí que estalla el elixir sus facultades. Y todo era de pronto mucho más hermoso. Hasta la violencia. Hasta la puta violencia que escribió mi nombre y el de todos al otro lado del mundo. Cosas que razono hoy, aquella madrugada, apaciguado, sin el odio, inmerso en el salcocho cocido por los romanos y recalentado por el resto. Vaya forma de comenzar la nota, nota que me parecía más rica que nunca antes, ilusión ésta, por supuesto, pero ilusión mía.

Entonces me fijo en el rostro que me mira fijamente desde un improvisado sofá. Me mira como si siempre me hubiera mirado. Me mira como el que conoce sin haber conocido. Me mira, y decido que lo único que deseo en el mundo es que ese rostro me mire. Piel acanelada, algo clara, perfil particular, ojos intensamente oscuros, cabello castaño, formas delgadas pero precisas.

Stigma y Susana se me acercan, interrumpen mi rapto sonrientes.

—Ven con nosotras —me dice Susana.

—Vente que estamos pasándola bien bueno con una gente chévere que conocimos.

—Ya, ya, pero quiero quedarme aquí. Creo que esa muchacha me mira desde hace rato.

Ambas se voltearon con algún disimulo para ver, para aprobar o desaprobar, para entender.

—Quédate —me dice al oído Stigma—, y que la pases bien. Y las dos se sonreían conmigo mientras desaparecían en el mar de gente. Entonces busco el eterno rostro y me alegra que no se haya ido. Y me levanto, y camino, y llego. Y ahora, justo como en ese momento te lo refiero.

—No podía dejar de pensar que me mirabas.

—Porque es cierto. Te miraba, y me agrada que hayas venido porque yo no me habría atrevido jamás a sentarme a tu lado y hablarte.

—Muy bonito eso que dices. Me llamo Blanco White.

—Mariana.

—¿De dónde eres?

—De aquí. Oye es curioso que me hablaras primero en español cuando aquí media humanidad se habla en inglés o en cualquier otra cosa.

—Por alguna razón pensaba que hablabas español.

—Tú no eres de aquí, tienes acento. Pareces canario o cubano.

—Puertorriqueño.

—Ya. No estaba yo muy lejos de la verdad.

Y vaya que entendía lo que era la verdad. Hablamos por como dos horas. Hablamos del universo, de Ibiza, de Puerto Rico (le costó creer que existía lugar tan extraño, pero confió en mi palabra), de leer, de escribir, del *trance*, del *rock progresivo*, del mundo gótico (no lo asimila, ni modo: nadie es perfecto), de mí, de ella, de lo que se nos ocurriera. No puedo referirlo todo porque no recuerdo algunas cosas. Deseo referirlo, deseo recordarlo. A veces me parece todavía insustancial toda la charla, casi de ensueño. Y la nota no ayudaba a dar contundencia al asunto, aunque deliciosamente aderezó todo, por supuesto.

Y como tal vez era de esperarse nos besamos. Hacía ya algo de calor y nos buscamos, nos abrazamos, nos besamos.

Vuelvo a repetirlo porque vuelvo a vivirlo. Y más de una vez y de varias maneras, y entonces recordé a aquella pareja del otro club y ensayé lo mejor que pude alguno de sus movimientos, y me fueron correspondidos, y me fueron contestados. Mejilla con mejilla, labio con labio, beso con beso. Nada como observarla fijamente y escuchar sus suspiros. Y el tiempo se detuvo para siempre, aunque sabía bien que no era cierto.

Terminó todo y recordé a Juan de la Cruz, dejado y olvidado entre azucenas literarias. Ernesto vino a rescatarme para el mundo. Al poco rato aparecieron Stigma y Susana con cara de cansancio. Todos nos despedimos de todos los que habíamos conocido en el local. Vaya velada, como se dice. Llegué a un mundo y partí de otro.

El resto del sábado pintaba como espacio de receso. Dormimos bastante. Desperté algo antes que los demás, como a las tres de la tarde. Pensaba un poco en el regreso, en lo que representaría la asimilación de todo este proceso y el modo en que afectaría mis quehaceres cotidianos. Todo parecía estar tan lejos, hasta yo. Y me gustaba. Fui al baño y al pasar por la habitación de Ernesto y Susana, Stigma los acompañaba. Ya más o menos pude entender lo que quería decir Ernesto con eso de ser familia, y a la verdad que nunca había visto a Stigma tan efervescente.

Por la noche fuimos a *Amnesia*, club famoso por su espuma party. Felicidad total de Stigma que nunca había ido a uno. Ahora podía decir que estuvo en el más espectacular. Como se iba a mojar se decidió por los pantalones ajustados negros, para no dañar ninguna de sus piezas elaboradas. Yo fui de negro y sin maquillarme, si bien no soy muy amigo de mojarme.

El local era amplísimo. Eso creí, aunque no me tomes la palabra porque el concepto de lo dimensional se me ha trastocado demasiado. Fue agradable ver a alguna gente de la velada anterior que nos saludó y nos pagaron algunos tragos. A la hora de la fuente de espuma Stigma se desvaneció en la blancura. ¡Tanta felicidad junta en un solo lugar! Pero el alcohol traiciona. Por alguna razón conecté esas imágenes con las del *Holocausto*. Te veo la cara: pendejadas mías. Sí estoy cabrón, ¿cómo se me ocurre? Quiero vivir y me freno. El paraíso en bandeja, y yo con esta nota alcohólica de pensar en musarañas. De pronto era todo falso y yo era otro ser que vivía el engaño. Sentí mucha nostalgia por Puerto Rico en ese momento. Deseaba regresar y entregarme a mi labor en cuerpo y alma, porque no puedo dejar que las cosas simplemente sucedan.

Decidí moverme un poco, caminar a ver si me animaba el entorno. Tal vez el entusiasmo ajeno me levantaría. Fue en ese momento que me pareció ver a Mariana al otro lado. No podía asegurarlo, pero me parecía mucho que era ella. Estaría acompañada, presumo, pues bailaba felizmente en los brazos de un muchacho. No quise interrumpir. Tal vez ni siquiera era ella. Y a fin de cuentas qué me debía de importar, tan ajeno yo, tan extranjero en este panal de felicidad mediterráneo. Mi mundo era otro, el de las otras islas, el de las que nunca serán felices porque no son si no son de los demás. Saberse subordinado y tratar de vivir de eso, vaya negociación interna, vaya mirada ciega al horizonte.

De alguna manera sobreviví el resto del sábado y lo que quedó del domingo. Se avecinaba el cierre de la aventura: El lunes iríamos al club *Privilege* porque era la noche de *Manumission*, la fiesta más extraordinaria de este lado del mundo. Ese era el lugar para vestirnos intensamente. Ya desde por la tarde Stigma se preparaba. Llevaría lo mejor de su armario: las botas altas charoladas por sobre mitad del muslo, un corset también negro y reluciente, y lo demás no lo menciono por pretender sonar de alguna manera pudoroso. Me detuve en la puerta a mirarla mientras se arreglaba, y recuerdo sonreírle tiernamente, a modo de un final y absoluto agradecimiento.

Llegaba la noche. Me había vestido módicamente, con las botas regias, la falda negra de terciopelo, la camisa blanca larga y un chaleco corto sin mangas también de terciopelo negro. Te confieso que no me sentía tan entusiasmado. Sería el alcohol y sus detalles de la otra noche, o el deseo de ver a Mariana otra vez. Creo que era esto último porque sabía (por lo que habíamos hablado) que no vendría a *Manumission*, y me quedaba un poco con las ganas de despedirme de ella. Vainas que le dan a uno.

Al llegar al lugar nos acomodamos en la fila, y nos dedicamos a ver el atuendo de estos seres del placer y de la oscuridad. Todos estaban regios. Me sentí algo fuera de sitio pero las miradas de los demás me daban a entender que no, que hacía juego con el conjunto. Eso me tranquilizó algo. A Stigma y a Susana (a quien Stigma había arreglado pormenorizadamente) se le acercó mucha gente para hablar y un poco para socializar más allá de la palabra. Adentro era como todo lo que habíamos imaginado: los bailarines y las bailarinas, contorsionistas, los andamios, los columpios, el fuego, ¡oh el fuego que nos exigía, nos llamaba!

Stigma y Susana se fueron a bailar, adictas ya una de la otra, acariciando así los ojos de todos los que las seguían. Ernesto y yo nos perdimos por el local. Una muchacha que andaba con pintura corporal se me acercó. Le sonreí y bailamos un poco. Ella me miraba de una manera extrañamente familiar para mí. Sí, es ella, pienso súbitamente, y me doy cuenta de que es Mariana quien yace bajo la hermosa pintura. ¡Cómo no haberme dado cuenta, si allí estaba el mismo cabello el mismo perfil! Y debo cerciorarme, tengo que hacerlo. Y la beso. Es ella, lo sé, lo siento.

—Quería venir porque sabía que se irían.

—No tienes idea de lo mucho que te he pensado en estos días.

—Sí tengo idea, yo también te pienso y sé que imaginas cómo.

Nada más extraordinario que sentirse desarmado por la palabra y la mirada. Al quinto beso me dijo al oído lo que confesó luego que había pensado como su despedida:

—Aunque sé que nunca serás mío déjame imaginar que sí lo eres.

Yo entonces posé mis manos en sus mejillas y sin dudarlo le contesté:

—Es que lo soy, soy más tuyo que el tuétano de tus propios huesos.

Y entonces nos disolvimos pausadamente en un único abrazo.

La noche continuó. El lunes se volvió martes y se volvió miércoles. Me canso de referir y no me canso: hay tanto que queda por contar. Y lo que me falta por vivir. Ven y date la vuelta Waldo, para que nos veas en este mágico mundo de posibilidades. Ven para que nos veas felices, hijos del arrebato, del deleite, del ardor de nuestra carne y del convencimiento de nuestra razón. Ven para que veas por qué no volveré. Me quedo. Me quedo aquí, encerrado, elevado, libre y convencido. Porque quiero maravillarme eternamente en este mundo, en este espacio fugaz de instantes eternos. Porque Stigma no quiere volver, reina absoluta de su placer y de su tiempo. Porque Blanco White ha conocido todas las verdades de la vida y las muerde y atesora. Por todos los que atesoro, que me muestran la verdad. Por Ernesto y Susana, por Mariana, por los clubes y sus hijos, por la farmacia incesante, por la vida eterna, por la muerte absoluta, por la patria que vive en mí y me consume hasta la última gota: no quiero volver, no voy a volver, no vuelvo, no vuelvo.

Blanco White

El regreso de Blanco White

*A Alexandra
Camacho
Meléndez,
que cuando puede
me libra de todo
 mal, y si le da
tiempo ruega por
mí en la hora de
mis muertes.*

PREFACIO

L a continuidad del universo de Blanco White responde a cierto egoísmo que me caracteriza. Podré deshacerme de Blanco White alguna vez, pero no de mi egoísmo. He afectado a muchos con el mismo, pero a su vez me ha permitido una serie de interacciones que jamás habría realizado y que estimo profundamente. Ha transformado también varias relaciones a lo largo de los años, y esto, aunque problemático y difícil en ocasiones, ha logrado que acepte mi realidad y que no trate de esconderla de manera soberbia. No soy Blanco White, por supuesto: quisiera serlo.

He escogido la novela corta como medio para tratar de ultimar a mi personaje. Deseaba hacer algo diferente. Y como el egoísmo ha sido el factor determinante de esta continuación segmentada, le debo mi vigor y mi entusiasmo a Juan Pablo Forner. Algún día se le hará justicia al egoísta más sincero y transparente de la centuria ilustrada hispánica y así reivindicarlo ante el culto absurdo que se le profesa al egoísta intelectual más hipócrita y oculto, Gaspar Melchor de Jovellanos. De ahí que haya basado parte de mi ejecución en la menipea, tan empleada por Forner, género difícil que supone ser el intento de trascender unos elementos contextuales específicos para llegar a una posible lectura general y relevante para el mayor número.

Y como toda la vida me he quedado esperando por la definición política de mi única patria, he querido (egoístamente) regodearme y entretenerme con esta versión demencial e improbable de su futuro, tal vez amparado en la posibilidad de que me muera sin ver lo que sería el día más feliz de mi vida, de la vida de cualquier hombre moderno que no se avergüenza de serlo. En este sentido, debo reconocer la deuda que le debo a las largas e intensas discusiones que sostuve con el injustamente desaparecido (toda muerte es injusta si existe Dios) Hugo Rodríguez Vecchini. Indirectamente reafirmó mi formación y mi credo intolerante, él que tanto me abrió los ojos a la lectura de la entrelínea. Lo saludo hoy como todos los días en que por alguna razón u otra lo recuerdo, con las lágrimas de la pérdida y el deseo de volver a enfrentarlo. Gracias por las armas, Hugo, aunque nunca supiste que eran un medio y no un fin.

Finalmente concluyo con los mejores y peores deseos de que se multiplique en cada lector la inestabilidad de mi relato. Ya se reirán o se mofarán de este intento falso de presuntas definiciones imposibles. En fin, diviértanse los que puedan...

PRÓLOGO DEL EDITOR

P resento ante ustedes la documentación que se posee sobre el retorno de José Blanco White a Puerto Rico, y los últimos escritos que se le atribuyen. Su regreso, que muchos suponían improbable, se da en el contexto de la Segunda Guerra Civil, período extenso y de mayor trascendencia que la guerra precedente. El conjunto es una combinación de narraciones en primera persona del propio Blanco White, algunas de las cuales parecen incompletas, una serie de cartas, en su mayoría escritas por Stigma, su antigua compañera, y un conjunto de narraciones en tercera persona cuyo autor no se ha podido identificar con certeza. Sigue a este conjunto una noticia de su muerte basada en entrevistas que realizamos en Ibiza y algunos documentos sueltos a modo de apéndice encontrados en su última residencia conocida.

En torno a la autoría de los textos en tercera persona sobre el período de la guerra, algunos críticos suponen que se trataba de un periodista amarillista de los muchos que proliferaron en el momento y en los años subsiguientes, amparados en la actitud irreverente hacia Blanco que en ocasiones se detecta. Otros suponen que se trata del médico del pelotón de Blanco, y sostienen su punto a partir del hecho de que en una sección de las narradas por el propio Blanco se menciona que el médico escribía. Deseamos presentar una tercera teoría, tal vez algo menendezpidaliana, en el sentido de que fueran por lo menos dos los autores de estas narraciones: el periodista antes propuesto, y alguien allegado tanto a Blanco como a Stigma, posiblemente un espía o un espía que trabajara para ambas facciones de la guerra, de los que se sabe que hubo en abundancia. Baso mi reclamo en cuatro elementos: el estilo diferente que presentan algunas secciones, en las que el tono sensacionalista y despectivo contra Blanco no se detecta; la narración del deceso de Stigma, tan lleno de una serie de detalles que debieron haber sido observados, amén de los comentarios de conocimiento de detalles personales que se detectan; y la existencia de dos textos del incidente de Blanco en Arecibo, uno irreverente y otro más neutral y acaso algo parcializado con la causa izquierdista; y la posible confesión del propio autor de los textos, sugerida en alguna de las secciones descritas. Deseamos en este sentido que sea el lector el que descubra lo que a mi entender es una confesión velada.

Muchos, el propio Blanco White entre ellos, sostenían que la retirada estadounidense de la Isla sería paulatina, y que correspondía a la vulgarmente llamada "teoría del salchichón". Como se sabe, esta visión sostenía que pedazo a pedazo los estadounidenses se llevarían los elementos más significativos de su presencia política y militar. Y así fue, como ha quedado documentado. Primero se llevaron las bases militares, proceso que comenzó a finales del siglo anterior y que culminó en los años diez del corriente. Luego desmantelaron los tribunales federales, período en el que comenzó a sentirse la inestabilidad en la Isla, como se deriva de la carnicería que se hizo de los jueces abandonados a su suerte. Al paso de pocos años, y sin advertirlo la población general, los estadounidenses se habían ido por completo. El gobierno insular comenzó su colapso, como se sabe, hacia el 2020. Esta anómala situación culminó con el éxodo casi total de la alta jerarquía de los partidos políticos, que sólo quedaron representados por sus miembros más jóvenes e inexpertos para enfrentar la crisis. El Partido Nuevo Progresista (lo que quedó del mismo) se disolvió en dos facciones, yudigordoncistas y donomaristas, que se aliaban en ocasiones, pero que diferían sustantivamente en algunos elementos de enfoque para definir una aproximación derechista al ambiente político de la Isla. Los populares desaparecieron casi del todo, y los que quedaron en la esfera pública se aliaron con la derecha o la izquierda según sus inclinaciones. Fue la izquierda la que resurgió de manera intensa e interesante (lo que no se habría esperado que sucediera a principios de siglo) en tres bandos de fuerza casi equivalente: los marxistas, los nacionalistas puros y los nacionalistas impuros. Ha de recordarse la insólita suerte del Partido Independentista, cuyos miembros más celebrados fueron "cazados" inexplicablemente por la propia izquierda.

Este fue el escenario que produjo la Primera Guerra Civil, conflicto ganado por la derecha, puesto que lograron aliarse de una forma más concreta que la izquierda. En este sentido, la división entre nacionalistas puros e impuros fue cardinal para evitar la colaboración con los marxistas. La victoria de la derecha fue precaria si se tiene en cuenta que la izquierda mantuvo el control de Vieques (nacionalistas impuros), Culebra (nacionalistas puros) y Mona (marxistas), amén de que operaban clandestinamente en las ciudades mayores y en la Cordillera Central miembros de las tres facciones. El frente común de la derecha se disuelve en 2023, lo que da paso a la Segunda Guerra Civil, conflicto decisivo para el regreso de Blanco White.

Se sabe que su autoexilio, de carácter hedonista y libertino por la islas del Mediterráneo, se acaba hacia 2024, año en que desaparece de esa zona (como consta en la documentación que se presentará como apéndice) y reaparece en Puerto Rico. Se sabe con exactitud que fue Stigma, quien le sugirió el regreso después de que ella regresara antes a la Isla. Stigma se une a la facción de los nacionalistas impuros, cuyas ideas se asemejaban más a las esbozadas con anterioridad por la célebre antigua pareja. Gracias a la famosa "Segunda carta", se convence el antiguo hombre de letras a pasar a ser hombre de acción al modo de Martí, aunque, por supuesto, hay que tener presente las diferencias entre ambos (Martí una gloria de las letras de la hispanidad y paradigma ético para toda Hispanoamérica, que sucumbe en su primera batalla; Blanco un escritor de segunda para la mayoría y hombre de vida poco ejemplar que sobrevive toda la guerra). Se desconocen las circunstancias exactas que propiciaron su entrada al ejército nacionalista impuro, y es desconocida la razón por la que se le designa para comandar un pelotón del mismo. Su testimonio, sin embargo, que presentamos íntegramente en esta edición, ha sido de vital importancia para entender las particularidades del proceso diseminado y sórdido de la Segunda Guerra Civil, amén de que para algunos críticos constituye el texto de mayor valor estético del período, tan plagado de relaciones panfletarias e insípidas.

Agradecemos a Edgardo Guzmán el haber recopilado la mayoría de estos textos y el haber depositado en nosotros su confianza para presentar de manera justa y adecuada el conjunto antes de su fallecimiento. También agradecemos a los herederos de Waldo Ortiz, el masón y músico amigo y compañero de armas de Blanco, por proveernos las cartas que escribió éste a su amigo durante el conflicto y que hemos incluido por su relevancia.

Finalmente deseo justificar el orden escogido para presentar la documentación. Pensamos que de haber organizado los textos de manera cronológica y según el criterio de su autoría no ilustraría con precisión el complejo y violento período en el que se escribieron. Hemos guardado así casi intacto el orden en que Guzmán los había obtenido y después insertamos la correspondencia de Ortiz donde fuera relevante. Nos hemos tomado la libertad de enumerar los textos para facilitar su consulta o referencia posterior, aunque conservamos los títulos que ya tenían muchos de ellos, sean originales o de la intervención de Guzmán. El efecto creado, y de esto el lector será el único juez, hace justicia a sus respectivos autores y da una mejor idea de lo que fue esa época enrarecida y ambigua de la historia insular.

Julio Cancel Martínez

RELACIÓN DEL REGRESO DE BLANCO WHITE A LA ISLA DE PUERTO RICO, SEGUIDA DE LA NOTICIA DE SU MUERTE Y DE OTROS APÉNDICES

1

Recuerdo, como ayer recuerdo el desembarco en Guayama. He de confesar que me sentía sumamente nervioso y no dejaba de sentir escalofríos, los que habían comenzado en la embarcación que nos trajo desde Vieques. Debo mi ulterior compostura a una dosis doble de wellbutrin, y al inteligente y reconfortante diálogo que entonces y en adelante caracterizaba a nuestro grupo. Más de una vez la seriedad se vio acompañada de la sonrisa que delata los deseos de reír a carcajadas, lo que muchas veces tuvimos que contener por el contexto del momento.

Amanecía. Nos habían dicho que en días recientes se enfrentaron donomaristas y marxistas, y que ambos tuvieron tantas bajas que desistieron de tomar la ciudad y ocuparla. Al menos eso fue lo que se nos dijo. Nada me habría podido preparar para asimilar lo que presenciaríamos al llegar.

—¿Por dónde se llega al pueblo teniente? —me pregunta Ayala, el soldado más alto y fornido de nuestro grupo, y en retrospectiva, tal vez el ser humano más alto y fornido que yo haya visto jamás.

—Eso que ves allá es el Molino de Vives —le contesté—. Ya al pasarlo veremos el casco del pueblo cerca. Te recomiendo

Ayala que te agaches un poco más, no sea que haya un francotirador que se haya quedado a modo de centinela. Sugiero también avanzar en silencio.

Así lo hicimos. Ya al pasar el hermoso molino, seguimos por la carretera que nos llevaría al centro. Siempre tuve buenos recuerdos de Guayama, pueblo que visitaba mucho en mis expediciones automovilísticas durante mis años universitarios. Ya llegábamos a la plaza cuando me impactó algo ver algunos de los árboles, siempre tan podados y geométricos, desmerecidos o caídos. Y me sentí como ellos. Cuán viejo soy. ¡Cuán viejo era ya entonces en aquella mañana! Al pasarse los cincuenta años todo duele, todo clama, todo recuerda que el reloj dejará de marcar bien las horas, especialmente si se ha vivido como yo, tan propenso a la saturnalia y al paraíso farmacéutico.

Todo lugar al que miráramos se veía desierto, y llegué a pensar que tal vez el pueblo entero se hubiera marchado para evitar la contienda. Puro silencio al llegar a la plaza. Parecía un domingo de los de antaño a media tarde. Pasamos entonces frente al antiguo teatro, cuyas puertas faltaban.

—¡Ayala, Mercado, Medina, acérquense con cuidado!— ordené algo nervioso aún.

El trío se allegó a la entrada con cautela y luego de mirar hacia su interior bajaron sus armas.

—Venga Teniente —me llamó mercado.

Cuerpos. Niños. Niñas. Algunos adultos, en su mayoría mujeres. El hedor apenas comenzaba a sentirse.

—Esto lo hicieron los puros —dijo Mercado.

—No, esto es de donomaristas —indicó Ayala.

—No importa, es imperdonable —dije extrañamente calmado—. Es propio de la derecha, pero pienso que más de los yudigordoncistas. Y esto fue bien reciente. Esto no pasó durante el enfrentamiento del que nos hablaron. Esto fue después. Vean, el pueblo está desierto. Al menos hasta ahora está desierto. Y los que aquí yacen son los únicos que en verdad viven. El pueblo está desierto. Respetemos su silencio. Sigamos adelante.

Todos asentían. Avanzamos calle arriba a paso lento. Pronto partiríamos sin haber visto todavía un rastro de vida. Vimos otros cadáveres en algunas de las esquinas. Divisé la Casa Cautiño y me dirigí a la misma sin pensarlo. Me siguieron. El médico me alcanzó.

—Teniente, ¿desea algún calmante?

—No, estoy bien, estaré bien.

Por supuesto que mentía, pero no deseaba ocultar lo sentido tras el velo de un medicamento. Mi cuerpo ya no es el mismo de antes. Ibiza y Mykonos me reventaron las entrañas (no me quejo, yo lo quise así), por lo que ahora evito siempre que puedo la caricia del escape. Al llegar a la Casa Cautiño entré acompañado de diez camaradas. La casa estaba intacta. La colección intacta. El mobiliario sin mover. De pronto sentimos que éramos nosotros los extraños en ese mundo vacío.

—Parece cosa de brujos —dijo el médico.

Algunos de los hombres querían reírse de lo que accidentalmente fuese un comentario irónico, pero los miré seriamente cerrando un poco mi ojo izquierdo, el que lleva el diseño del ojo de Ra tatuado a modo de maquillaje permanente. Por alguna razón impone temor mi presencia: los ojos y los labios tatuados de negro, la casaca color vino borgoñés, la camisa blanca de volantes en el pecho y las muñecas, el pendiente negro en el cuello, las botas impregnadas de metal y el sombrero de tres picos. Sí, soy el mismo, y soy otro. A mi atuendo añado una M-16, un sable, una 45 automática, un puñal, y por supuesto, la mochila llena de municiones.

No sirvo para la guerra, pero ese fue el Puerto Rico que me recibió. Había vuelto. Porque creía en mi retorno. Porque creía que algo bueno se gestaría de aquella barbarie. Y porque cumplía con los deseos de Stigma, a quien nunca llegué a ver, y cuya memoria amparaba la trayectoria de cada bala que diera en el blanco. Yo había gastado mi vida en escritos superfluos y celebraciones interminables. Deseaba darla ahora, empeñarla como peña inicial de una nueva utopía.

Ya avanzamos al norte del pueblo y reconocí la carretera número 15.

—Vamos. Vamos ya. Subamos por la carretera 15 —dije entusiasmado—. Les enseñaré la belleza del barrio Carmen y del camino a Cayey.

Entonces escuchamos algo que se acercaba. Era música, cada vez más definida. Era el *Concierto de Brandenburgo número 2* de Bach. De pronto una ráfaga se dispersó sobre nosotros desde dos vehículos. Eran yudigordoncistas, con su uniforme azul y amarillo, uniforme cagante en sí mismo y más cagante porque lo llevaban puesto esos cerdos. Nos dividimos. Eran acaso diez a lo sumo. La música, que en otro tiempo me alegraría, me transportaba al espacio de la locura. Ayala tumbó a dos. Santiago tumbó a tres. Yo no tumbé a nadie, pero grité bien duro, y eso contentó a mis hombres.

—Quedan cinco —le dije a Mercado—. Tú y yo por aquí. Medina y Vera por allá.

Fue fácil encontrarlos por el brillo de sus uniformes. Mercado dio certeramente en la cabeza de uno. Yo tumbé a dos. Vivían todavía.

—¿Cuántos más hay por la 15? —le pregunté al más cerca que estaba.

—¡Cómo si fuera a decírselo así porque sí! —fue su impertinente contestación.

—Chévere —le dije—. Cágate en tu madre penepé de mierda. Le di un balazo en la cabeza.

—No muchos —me contestó de inmediato el otro—. Estamos en Carite, y el contingente mayor llega pronto a Patillas. Santiago se acercó y lo pisó con la bota.

—¿Cuándo van a Patillas? —preguntó mientras apretaba el pecho con la bota.

—¡Cálmate Eleuterio! —le ordené—. No te va a decir. Creo que es mejor que lo mates de una vez.

Santiago le separó la cabeza del cuerpo con quince bala-
zos. Supongo que no habrá que aclarar que Santiago era de
Patillas. Así las cosas, decidí que seguiríamos la 15 a ver si
llegábamos a Cayey. Había matado a alguien por primera vez
y me gustó. Había ordenado matar a alguien, y me gustó más.

2
De la repartición de las misiones principales
de los nacionalistas impuros

Los testigos que quedan de la afamada reunión de los nacionalistas impuros en Vieques aseguran que solamente tres
de las misiones que se asignarían eran de vital importancia,
mientras que las restantes dos sólo se diseñaron para distraer. Pensaba el alto mando que a fin de cuentas todo termi-
naría en una horrenda guerra urbana en la Zona Metropolitana, y que una victoria dependería de cuán dispuestos estu-
vieran los nacionalistas puros y los marxistas de dejar a un
lado sus diferencias y trabajar como una sola unidad, para
luego decidir la formación de un gobierno de coalición, probablemente de manera temporera en lo que se concretaba
algún proyecto más definido. Las misiones principales serían
las de Carolina, la de Vega Baja, y la de Naguabo. Las super-
fluas eran la de Guayama y la de Ponce.

Al tal Blanco White le tocaría dirigir la misión de Guayama.
Se sabía que enfrentaría una fuerza considerable de
yudigordoncistas que habían desolado el pueblo. Se le mintió.
Se le dijo que previamente había habido un encuentro entre
marxistas y donomaristas para que pensara que no se topa-
ría con alguna fuerza numerosa dado el presunto repliegue
de los bandos cansados por el combate. Alguien que vestía
como el susodicho y que llevaba los ojos tatuados era

ciertamente risible y prescindible. Lo dejaron vestirse como le diera la gana a fin de que aceptara la misión sin reparos y con entusiasmo infantil, lo que hizo al pie de la letra.

San Juan, dominado por los donomaristas, se había mantenido relativamente intacta desde el retiro de los yudigordoncistas. Dirigía entonces el afamado Baby Beast, antiguo empresario del ambiente artístico convertido en eficiente estratega. El ejército yudigordoncista quedaba al mando del Presidente Marcos Duquésnico, quien abandonara la capital al romperse la alianza con los donomaristas. Aunque dominaba férreamente el noreste desde Ceiba hasta Canóvanas, amén de controlar además la zona de Humacao a Patillas y la Zona de Arecibo a Aguada, la pérdida de San Juan le dolía como una espina intensa.

Se designaron entonces los cinco grupos, sin considerar el alto riesgo que corrían los pelotones enviados a Guayama y a Ponce. Sobradas son las noticias y relaciones en torno a la desafortunada misión de Ponce, una masacre, efectuada por donomaristas. Los cadáveres fueron entonces desfigurados y luego quemados frente al antiguo Parque de Bombas. Huelga decir que entre las versiones se destaca la que consta en una misiva de Waldo Ortiz (dirigida al tal Blanco White), en que denuncia la posibilidad de que hubiera un soplón, muy probablemente del bando nacionalista puro.

El plan principal de los impuros era rodear a San Juan con los dos ejércitos asignados a Carolina y Vega Baja. El otro ejército numeroso entraría por Naguabo y enfrentaría a los yudigordoncistas en Ceiba, para así evitar que auxiliaran a los donomaristas o intentaran tomar San Juan de una vez. Las fuerzas enviadas a Ponce y Guayama serían acaso una mera distracción, un sacrificio que se consideraba necesario.

3
Primera carta de Stigma

Querido Blanco:

Siempre te odiaré por tu egoísmo inconsecuente y tu falta de tacto. Es por eso y otras cosas de las que me enteré que te dejé a tu suerte. He regresado a la Isla, y he tenido que escribirte. No porque te eche de menos, desconsiderado y miserable, sino porque esto aquí está totalmente cambiado. Los gringos se fueron. Sí, como oyes, como lees, los gringos se fueron. ¿Recuerdas aquella teoría del salami o como fuese que tanto te atraía? Pues eres brujo porque la pegaste.

Y sí, medio mundo se fue detrás de ellos. Se han formado grupos muy definidos, tres de los cuales son de izquierda y dos de derecha. No hay populares, se fueron corriendo los cobardes. Los penepés dejaron de ser penepés (de ser posible tal cosa) y ahora se dividen entre ricos y seudolumpen, entre elite y turbamulta, entre espíritus puros del Condado y la masa perrerística diseminada. Sí, veo tu cara, es pura melcocha. El presidente es un tal Duquésnico, un don que parece jíbaro pero se canta como un Marco Aurelio.

Y esto va a explotar en cualquier momento. La izquierda dividida, pero hacen frente a los otros. Por supuesto los marxistas de siempre, los nacionalistas de la vieja guardia y unos que se llaman nacionalistas impuros (a la gente del PIP los esfumaron de varias maneras). Yo más que por el nombre me afiliaría a ellos. Bueno, eso y que mucha de la gente que conocemos acá se han metido en esa facción. Así que yo haré algo por la patria mientras tú te gastas las neuronas y le haces caso a cuanto roto se te ponga de frente.

Eres un patriotero de mierda. Y ya estás hecho un viejo ridículo. Me voy. El deber me llama.

Stigma

4
Primera carta de Waldo Ortiz*

Blanco:

Cuidado. A la gente que mandaron a Ponce la pasaron a cuchillo en masa y después la quemaron. Pura treta. Tu grupo se encamina a lo mismo. Desde Humacao hasta Patillas forrado de yudigordoncistas. Los están usando para desviar la atención. Embárquense, váyanse a Vieques o den la vuelta para juntarse en Vega Baja con nosotros. Y cuidado cuando hables. No se sabe quién escucha. Y no te fíes de los nacionalistas puros.

Waldo

* No consta que haya sido recibida o leída por Blanco White en ningún documento.

5
Del comentado caso acaecido a
Blanco White en Arecibo

Mucho se ha comentado de este episodio que le valió por un lado la desconfianza, o tal vez el temor de sus superiores, y por el otro, la admiración, no sólo de sus hombres y de la base nacionalista impura, sino también de los marxistas y de los nacionalistas puros. Para muchos fue el gesto que unificó la izquierda y le proporcionó un alto sentido ético a sus propósitos. Para otros fue un incidente aislado, caprichoso, egocéntrico e innecesario.

Avanzados varios meses de la incursión del pelotón dirigido por Blanco White (ahora más numeroso por los que se le unían por su paso por el centro de la Isla) llegó a territorio de Arecibo, donde deseaba ultimar a los yudigordoncistas que quedaban allí, menguados por la doble estrategia de los impuros que desembarcaron en Vega Baja. El grupo se encontró de pronto con el afamado radiotelescopio, todavía adscrito a la Universidad de Cornell. Se dice que Blanco White, una vez llegados al centro de control, obligó a los científicos a salir y que los interrogó como si fuesen espías del ejército estadounidense o de la CIA, nadie sabe aún por qué motivo.

Hay dos versiones del suceso. En la primera, Blanco White detecta desde su caballo que todavía había gringos dentro, escondidos, que apuntaban sus armas hacia su grupo, lo que propició la orden de que ejecutaran a los científicos y quemaran la estación de control que quedó destruida en su totalidad. En esta versión se comenta sobre la forma abusiva e indiscriminada en que se le dio muerte a los científicos, de los que nunca se probó afiliación o nexo alguno con la CIA. En la segunda versión se indica que al llegar a la estación fueron recibidos por el fuego de un grupo de yudigordoncistas, y que se entabló una batalla que duró varias horas por lo difícil que resultaba localizarlos entre la maleza que rodea el radiotelescopio y por la selva que yace debajo del mismo. Culmina el episodio con la victoria de los suyos. Ambas versiones son celebradas y festejadas por la izquierda.

Habrá que observar, sin embargo, que hacia estas alturas del conflicto los incidentes de carácter morboso, sádico o inescrupuloso iban en aumento en ambos bandos de la contienda. Después de la quema de impuros en Ponce, se notificó del linchamiento de mujeres feministas a manos de los donomaristas, la decapitación pública de los antiguos miembros de la farándula, en especial los del programa del mediodía del canal felino (acto que todos deseaban adjudicarse), y la exhumación y desacralización de los restos de José Celso Barbosa, amén de la quema de su casa museo durante el asalto a Bayamón. De hecho, se acusó a Blanco White de estas dos últimas ofensas, pero nunca se ha comprobado que tuviera algo que ver directamente con las mismas.

6

Antes de llegar a Aibonito se nos juntó mucha gente agradecida de nuestra victoria en Cayey. Fueron éstos los que me obsequiaron con el caballo que me acompañó en adelante. Yo no sabía ni montar ni nada que tuviera que ver con caballos. Pacientemente un tal don Pedro me enseñó, y en cosa de días me sentí ya bastante confiado. Algunos de mis hombres también recibieron caballos, mientras que otros prefirieron seguir a pie, pues veían en los caballos más trabajo que ventajas.

Ganábamos confianza. Yo deseaba allegarme a Asomante, histórico espacio castrense insular, que nunca había visto, amén de ser el lugar en el que en un baile se conocieron mi padre y mi madre. A las dos de la tarde llegamos. Cuerpos regados. Cuerpos suspendidos de los árboles de manera invertida. Por el uniforme eran marxistas. Algunos de los cuerpos presentaban el cuello traspasado por pedazos de bambú afilados. Cierro los ojos y reflexiono. Pienso que los que merecen esta suerte han logrado escapar. Volaron al menor indicio de inestabilidad. Ahora todos ellos se pasean por el mundo del apple pie, por las riveras del Hudson, por los suburbios de Philadelphia, por las calles de Orlando, felices después de desfalcar la banca del país. Y osábamos llamarlos nuestros electos servidores públicos. Se largaron temprano y se llevaron las arcas. ¡Muerte a la democracia, espacio infame en que una minoría preocupada y responsable debe acatar la voluntad de una mayoría necia, incapaz y asqueante!

Ordené que se le diera una sepultura decente a los combatientes. El viento en el lugar parecía sugerir el paso de sus fantasmas. Cosas que le da a uno con decir.

—Por aquí se llega a Barranquitas y tal vez a Coamo me indicó el médico.

—Vayamos a donde sea, pero evitemos Barranquitas —le contesté, pues deseaba evitar presenciar la mínima gota de tragedia en el pueblo de mis padres.

—¿Desea que escriba notas sobre lo que vamos haciendo?

—No doctor. La memoria me basta, y no me agrada.

Yo de natural soy un cobarde, pero hay cosas que le cambian la percepción del mundo enteramente a la gente. Con cada día que pasaba me sentía más confiado de mí mismo. No podía casi creer lo que se gestaba en la Isla, y mucho menos haber vencido a una fuerza superior hace apenas dos días atrás. A mi edad tanto ajetreo es verdaderamente un sacrificio, amén de que mi estado físico y emocional no era el mejor.

No habíamos recibido notificación alguna del alto mando, por lo que me dejé llevar por el instinto. Acaso sería prudente seguir por la cordillera para luego bajar a las zonas urbanas de la costa. Era evidente que la población del país había disminuido. Esto me fue confirmado por los ciudadanos de Cayey y de Aibonito, que dijeron que más de la mitad de sus conciudadanos se habían ido con el "abandono de soberanía".

Tenía mucho tiempo para pensar. Tal vez demasiado. Sabía que no había vuelta atrás, que la seducción del Mediterráneo y todo lo que entrañaba debía transformarse. Al menos pensé eso en aquel momento. Ponderé la muerte de tantos, entre ellos la de Stigma, tan honrosa, según Rodríguez Juliá me había indicado. El mundo es contradictorio, se trata de recordar y olvidar a la vez, y no se logra ninguna de las dos. A esta hora, por ejemplo estaría ya intoxicado, bailando, y tal vez inmolando en el templo del amor a alguna diosa adorable (o tal vez a quien ha robado mi recuerdo y lo celebra al modo en que celebro el suyo), y heme aquí avanzando a caballo, lleno de la única satisfacción que me era posible articular: matar con mucho gusto a los detestables hijos del antiguo anexionismo. Yudigordoncistas y donomaristas, tan diferentes entre sí, y tan patéticamente ligados hasta la muerte. La muerte que les deseé, la muerte que les di con las fuerzas truncas de mi humanidad traicionada por el tiempo.

—Si seguimos el camino evitamos ambos pueblos y podemos adentrarnos más —me indicaba Santiago—. Entiendo que Arecibo es la ciudad más fortificada de este lado hacia la costa.

—Lo sé. Lo que molesta es tanto bajar y subir. Mi espalda está trinca de tanto LSD ingerido en la vida, y a cada golpe se me suelta algún recordatorio de mis excesos.

Y era cierto. A veces veía llover y no caía agua. Otras veces veía caras en el follaje que me sonreían y hablaban. Menos mal que sabía que eran remanentes de aquellos idilios farmacéuticos. Y lo peor era saber que los donomaristas controlaban el tráfico y lo empleaban a su favor económicamente. Estaban subvencionados por el extranjero, y por la antigua metrópoli. Tenía pues, que dejar de pensar en posibles placeres para encomendarme al demonio de la realidad, y a la repartición de la muerte.

7
De la muerte de Stigma en el conflicto

Una de las misiones más peligrosas y cardinales de la primera etapa del conflicto consistía en la localización y destrucción de parte del arsenal yudigordoncista. Se sabía que la mayor parte estaba en la antigua armería de la Guardia Nacional en Hato Rey, pero se sospechaba que se había mudado parte a Plaza las Américas. El antiguo centro comercial fue el palacio del Presidente Duquésnico hasta su expulsión por parte de los donomaristas y Baby Beast. Toda la información sobre lo acontecido, o casi toda se debió a la emprendedora participación de Stigma como espía de los nacionalistas impuros. Su nutrida documentación fotográfica fue fundamental para la confección de las estrategias que siguieron para llevar a término la guerra y la consecuente victoria de la izquierda unida.

No se puede menospreciar el aspecto logístico: llegar a Plaza las Américas constituía una empresa sumamente peligrosa si no imposible durante el apogeo yudigordoncista. No se puede, por lo tanto, escribir una historia de la Segunda Guera Civil sin por lo menos incluir un comentario sobre la última misión de Stigma, que culminó en su honrosa muerte, como es sabido.

La operación ocurrió hacia los últimos meses del control yudigordoncista de la Zona Metropolitana. Como en tantas misiones, Stigma, hábil en el manejo del disfraz y el arte de la seducción, elaboró un plan que tenía dos estrategias muy definidas. No actuaría sola del todo, por supuesto, pero recaía en ella el peso de las acciones para que no se notara en lo absoluto algún concierto entre partes. Primero habría de infiltrarse en el ejército y pasar por combatiente yudigordoncista (se quejó de esto, por los colores horribles del uniforme), y en la medida de lo posible localizar certeramente los lugares en que se escondía la mayor concentración de equipo bélico, lo que transmitiría fotográficamente al centro de mando impuro. Por supuesto, el problema que se le presenta es la imposibilidad de tener acceso a las instalaciones más importantes por tratarse de una mera soldado. De ahí la necesidad de la segunda estrategia que complementaba a la primera: la "femme fatale" gótica tendría que hacerse pasar por una "call girl" de prestigio exquisito, y por medio de la seducción irresistible allegarse al interior de dichas instalaciones. Tal era el talón de Aquiles del alto mando yudigordoncista (de todo alto mando, de hecho), por lo que la agente tenía todas las de ganar y llevar a feliz término su misión de enviar alguna que otra foto si le era posible y destruir el mayor número de las armas.

Uno de los generales a cargo de la seguridad en la antigua Plaza las Américas era Simón Diezmo. Tal vez fuera el único general yudigordoncista reconocido por su crueldad y su poca compasión para con el enemigo capturado, rasgos asociados usualmente a la alta plana donomarista. Sólo a través de él se podría entrar a las instalaciones secretas para luego comunicar con exactitud su localización a los líderes impuros.

Stigma logra infiltrarse con suma facilidad a uno de los pelotones adscritos a la armería principal y a la vigilancia del antiguo centro económico de la vida existencial boricua. Marcha con ellos, y en uno de los ejercicios pasan por el sector de Plaza que ocupaba la antigua librería Borders, y descubre una serie de puertas que aparentaban ser herméticas totalmente. En un discurso pronunciado frente al antiguo depósito de libros se dio a entender que tras las puertas yacían las armas de mayor alcance y capacidad destructiva que garantizarían el sostén del régimen. El discurso fue pronunciado por un científico y genio estratega, vuelto ideólogo del régimen, Carolus Pavonis. Stigma decide que es a Pavonis a quien debe seducir para lograr acceso al depósito y dar rienda suelta a su colección de explosivos.

En una fiesta celebrada en la antigua "Terraza" de Plaza, Stigma aparece infiltrada entre las mujeres escogidas para satisfacer los caprichos carnales de la alta plana. Lucía un hermoso traje negro con lentejuelas que dejaba ver por enormes orificios los laterales de su esbelto tronco hasta la marca de la cintura. El traje llegaba casi hasta el suelo, por lo que el arsenal que llevaba en las botas no se distinguía ni un ápice. Pavonis quedó prendado de Stigma, se le acercó y le dijo estas palabras: "La que quisiere acompañarme pudiere disfrutar de las delicias de mi verbo hecho carne en el lugar que fuere, o aquel que yo prefiriere". Stigma no tardó en aparentar su interés sexual para con el científico hecho militar de verbo poderoso. De hecho, parecía una seducción real, un morreo impresionante, una entrega absoluta. Pavonis se la llevó consigo escoltado por su pretoriana guardia de voyeristas hechos soldados, no sin antes besarla apasionadamente frente a los demás para que no hubiese dudas de la hombría de la que tanto blasonaba. Entonces claramente dijo: "El que deseare saber donde hallarme, pues fuere mejor que esperare aquí a que regresare".

Comenzó así el magno sacrificio de Stigma, que por fin tendría acceso al depósito, privilegiada por su pensamiento y su acción, y por el interés que Pavonis ("magno general entre los que hubiere" como se le designaba cidianamente) le profesó, jurando su fidelidad eterna y el mejor sexo que jamás "hubiere de experimentar". Fueron esas sus palabras, fue lo que escuché. Por medio de un carrito de golf convertido en vehículo oficial y mientras los pretorianos en vano corrían detrás de ellos, llegaron a las válvulas de la entrada. De sorpresa fue la cara que puso Stigma al ver que había una puerta secreta oculta en un extremo tras una estatua de Luis A. Ferré en uniforme napoleónico. Ya adentro no había tiempo que perder. Stigma besó enfáticamente a Pavonis, y sin que éste se diera cuenta sacó de su bota derecha una cápsula que contenía el equivalente de diez gotas de LSD, es decir, cuarenta papelitos, cuarenta "hits". En un instante se la lleva a la boca, la rompe y pasa casi la totalidad del líquido a Pavonis. Continuaron besándose por quince minutos y la propia Stigma le bailaba al frente y lo tocaba para distraerlo y dejar que el tiempo hiciera lo suyo. Ya Pavonis a los veinte minutos se sentía raro. Stigma no pudo evitar el esperado contagio de la sustancia, aunque trató de concentrarse y minimizarlo. Pavonis no la soltaba, y deseaba besarla repetidamente, lo que aceleró en ella también algunos de los efectos. Logra zafarse Stigma, y trata de identificar las armas más sofisticadas y destructivas. Con una mini cámara escondida en la bota izquierda logra al menos enviar imágenes del entorno inmediato a vuelta redonda. El ácido comenzó a hacerla titubear. Pavonis se lanzaba libidinoso sobre ella. En un rapto de incertidumbre, Stigma casi se le entrega gozosa. Algo la despertó de su caída, las palabras de Pavonis: "Si te quedares, te amare toda la vida". Stigma saca una navaja y le cruza la cara, la boca incluida. Pavonis reacciona. Drogado como se encontraba logra activar una alarma. Su pretoriana guardia entra al momento. Stigma se ha perdido por el recinto y logra colocar un explosivo en la primera arma que encuentra. La explosión se lleva de por medio otras cinco. Se disponía a prender un taco de dinamita cuando fue alcanzada por un impacto de escopeta que le cercenó la pierna izquierda a la altura de la rodilla. Dolida aunque activa por la intensidad del ácido y la adrenalina, se arrastra por el suelo y prende el taco de dinamita que lanza a unas tres piezas de artillería, que se dañan con la explosión. De súbito siente otro escopetazo que le mutila la cadera izquierda. Stigma avanza, prende más dinamita que riega por varias partes del recinto, y se sienten múltiples explosiones. La intensidad de su estado alterado comienza a dar paso a las lágrimas del cuerpo desmembrado. Siente que le pisan el brazo derecho y lo cortan de un solo escopetazo. Resiste el dolor, y trata de enfrentar a los atacantes. Por un instante cerró los ojos, y acaso se pensó feliz en una foto con Blanco White, o acaso no pensó nada. Al abrir los ojos se topó con la faz desfigurada de Pavonis, que entonces le apuntó a la cara con una escopeta recortada mientras le sonreía. Y así fue que ocurrió todo.

8

[...] y ardía la calle entera. Ardía la casa de Barbosa y al pasar nuestros caballos casi nos lanzaron a las llamas. Ardía Bayamón, ardía entera. Los del grupo de Pérez Montalvo se nos habían adelantado. Bayamón ardía totalmente y tuve que llorar unos segundos por el pueblo en que me formé. Disparos. Mercado cae al suelo. Debimos movernos rápidamente en dirección a la carretera número dos, pasar Santa Rosa, cruzar el río y perdernos por los campos de Guaynabo.

Nos tiran con fuego de mortero. Son más de los que esperábamos. Debieron enterarse de alguna forma que veníamos. Ya nada me extraña en este espacio sin lealtades. Gritan como locos en una tierra sin ley. Los donomaristas claman que la muerte les dará la inmortalidad, la que sería narrada en sus versos nefastos y universales. Santiago, Ayala y Medina me siguen de cerca. De sorpresa nos topamos con tres donomaristas que manejaban morteros. Me miran a la cara, a los ojos tatuados y ahora cortados, heridos. Se ponen a revisar mi atuendo, lo que Medina y Ayala aprovechan para acribillarlos por su impertinente curiosidad.

—¿Han visto a Pérez Montalvo? —pregunté con ansiedad.

— Va adelante con su grupo y algunos de los nuestros. Van en dirección al Río Bayamón —me contesta Santiago, siempre atento a los detalles del contexto.

Partimos. Dejamos Bayamón, la dejamos inmersa en llamas. Entonces fue que vi correr una interminable fila de mujeres y niños en dirección al antiguo Santa Rosa Mall a buscar refugio. Entonces recordé que el grupo de Pérez Montalvo iba a volar la estructura porque albergaba armas y un cuartel donomarista. Grité desesperado:

—¡Oigan, no vayan allá, vayan al río! ¡El mall va a explotar!

Dos mujeres titubearon, se dieron la vuelta y se llevaron a seis niños con ellas. El resto, acaso treinta mujeres y una infinidad de niños entraron al mall. Dudo, me dirijo a ellos y me corta el paso Ayala.

—No vale la pena Teniente —me indicó convencido y firme.

Entonces estalló la estructura que cae entera y produce una nube de polvo que nos arropó aunque huíamos del lugar. Ya lejos volvimos la mirada a los escombros diseminados, los cuerpos regados.

—Vamos al río que nos esperan —dijo alguien, acaso Ayala, Vera o yo mismo, tal vez los tres.

Al llegar a la otra orilla no culminaba nuestro desconcierto. Soldados de los de Pérez Montalvo perseguían con lascivia y capturaban a muchachas que apenas habían dejado la niñez. Y Pérez les dejaba hacer, ni se inmutaba.

—¡Pérez criminal! —le grité con el mayor desprecio posible.

Pérez Montalvo se volvió a mirarme, de pie, montado en su *Jeep*. Me miraba detenidamente. Miraba mi ira, mi casaca

ensangrentada, mis ojos tatuados, tan egipcios, tan maltrata-
dos, tan míos. Apuntó su AK-47 en mi dirección, pero el gesto
le duró sólo un instante. Santiago le dio en el pecho y no volvió a levantarse. Sus hombres, los degenerados, detuvieron
su libidinoso recreo y nos miraban pasmados. Sus hombres,
los que no se prestaron para efectuar tal barbarie, abrieron
fuego sobre sus compañeros asquerosos. Luego todos se miraron. Esperaban escucharme.

—Ustedes no tienen que seguirnos obligatoriamente,
pero les indico que mis hombres y yo nos sentiríamos honra-
dos con su compañía.

Inicié la marcha a caballo con Medina, Vera, Ayala y Santiago a los lados. Alguien lanzó el cuerpo del *Jeep* y cayó en el
río. El ruido me llamó la atención.

—¡Sáquenlo del río! Lo contaminará más de lo que está con
su mierda —dije con firmeza.

Entonces, seguimos la marcha.

9
Segunda carta de Stigma

Querido Blanco:

Te escribo esta vez no para reprocharte nada sino para
pedirte que regreses. No pido que regreses por mí, que sé
que no te importaría nada, pido que regreses por el país. Yo
te conozco de verdad, yo sé lo que eres y lo que sientes. No le
des la espalda a tu patria en estos momentos, por favor. No te
destruyas más, no dejes que se consuma el cuerpo que alber-
ga una mente brillante, una mente que el país necesita. Si vas
a dejar de escribir como juraste cuando nos quedamos allá,
entrégate a este conflicto, entrégate a una causa que he reconocido justa, y en la que sé muy bien que creerías.

Hay una guerra civil. Formo parte de un escuadrón de espías de los que se llaman, mejor dicho, de los que nos llamamos nacionalistas impuros. ¿Recuerdas cuando antes me hablabas de implantar un nacionalismo funcional, que no tuviera que ver nada con los signos culturales externos sino con un proyecto político concreto? Pues somos lo más parecido a eso. Ven. Vuélvete hombre de acción. Si vas a abandonar las letras entrégate a las armas. Si vas a destruir, a desmembrar tu cuerpo, hazlo por intentar sanar y reconstruir tu país.

Sabes que te quiero mucho, y sé que te sentirías enteramente realizado cuando logremos la victoria. Blanco, mi querido Blanco, tan sincero en la entrega al deleite amoroso, tan constante para decir la verdad, aunque duela. Sé sincero contigo. Regresa. Hazlo por ti mismo. Te quiero, te quiero aquí, derramando sangre y alimentando conciencias.

Stigma

10
De lo que le ocurrió a Blanco White
en la Asamblea Nacional

Al convocarse la Asamblea Nacional, las facciones del bando ganador enviaron a sus representantes más destacados en la contienda. Como era de esperarse, a última hora decidieron invitar a Blanco White, sólo como recompensa por su inesperada e improbable victoria en la Batalla de Cayey. No deseaban, sin embargo, que se excediera en sus acciones. La reconstrucción nacional estaría en manos de los más aptos para hacerla y por supuesto, Blanco no podría ser considerado jamás uno de ellos.

La Asamblea se celebró en el Estadio Hiram Bithorn, para que asistiera el mayor número posible de personas. Habrá que recordar el colapso del Coliseo de Puerto Rico, derribado tras dos horas intensas de artillería marxista durante el asalto final de la izquierda, golpe de gracia magistral al encontrarse la estructura llena de donomaristas que huían confundidos por los excesos mozartianos característicos del ataque yudigordoncista, lo que desde siempre constituyó un impedimento para que se unieran de manera más concreta.

La delegación mayor fue la de los nacionalistas impuros, que merecidamente se consagraron como el eje de la reconquista criolla. Constituía esto a su vez, un paso de adelanto, según muchos, para una reorganización nacional que se basara en modelos frescos que superaran la retórica decimonónica de los camaradas en la victoria. Se esperaba que hablaran el general Domínguez, el general Ortega, el comandante Sierra, la comandante Burgos, la teniente Meléndez y el teniente Marín.

Si bien el propio Blanco no esperaba ser de aquellos que hablaran a las huestes convocadas, se vio precisado a hacerlo debido al recibimiento caluroso recibido de la Asamblea en pleno, y especialmente por el entusiasmo generado entre marxistas y nacionalistas puros que lo vitoreaban como el artífice de la unidad tras la mítica (o exagerada) gesta arecibeña. La situación presente no gustó, como era de esperarse, a los veteranos de la alta plana, Domínguez, Sierra y Ortega. Burgos, Meléndez y Marín se mostraron más conciliadores y trataron de convencer a sus superiores de que el a última hora designado "teniente" merecía al menos dirigirse a la Asamblea en pleno, al menos como un gesto simbólico. La discusión fue notada por muchos, y el propio Blanco percibió algo de hostilidad al llegar al templete oficial. Fue Marín el que finalmente convenciera a Domínguez de que le concediera la palabra a Blanco en algún momento.

Llegados a un acuerdo, Sierra comenzaría los trabajos de la Asamblea y daría el primer discurso. En el mismo detalló la gesta histórica, paso por paso, enumerando las batallas e inmortalizando la memoria de los caídos. Se centró en la captura final de San Juan, el desembarco de Carolina, y emocionó a la concurrencia al narrar el atroz pero feliz destino que le tocó vivir al presidente Duquésnico en manos de la comandante Burgos. La multitud vitoreaba "Burgos, Burgos" y ésta se limitó a levantarse y saludar con el fusil en la diestra. Exaltada la multitud alabó entonces la sorpresiva victoria de Blanco White en Cayey, que constituía "un ejemplo de esos pequeños pero extraordinarios detalles que posibilitaron la victoria total". Al llegar a este punto, Sierra le concedió la palabra a Blanco White, pensando, como todos en la plana mayor, que se limitaría a agradecer el apoyo y la solidaridad de todos y a tal vez comentar alguna anécdota del conflicto.

Blanco, de hecho, comenzó como se esperaba, agradeciendo a la alta plana la invitación para dirigirse al pleno. Elogió entonces la gesta de Marín en Vega Baja, y resaltó el papel que jugara Sierra en la empresa de Carolina. Entonces agradeció a sus hombres la lealtad durante el conflicto. Todo iba bien hasta este momento, pero la concesión se volvería atrevimiento para los entendidos, cuando respetuosamente le pidió a la alta plana que le permitiera esbozar brevemente unas ideas sobre el posible proyecto político que se gestaría. No hubo remedio. La multitud deseaba escucharlo. Se le permitió seguir y que dijera todo lo que quisiera. Blanco entonces articuló un absurdo plan que consistía en la implantación de una dictadura de directorio, basada en el poder compartido de al menos cinco jerarcas con igual poder.

Toda decisión fundamental debería contar con la unanimidad de criterios de las partes. La representación internacional recaería en uno de ellos, electo por los otros cuatro por un término de dos años que entonces cedería el puesto al próximo que se eligiera entre los restantes. De esta manera se evitaría la percepción falsa de que se trataba de una dictadura tradicional. Tal representación era en sí simbólica puesto que el poder recaía en la unanimidad del directorio. Abogaba también por la elección de diputados a una cámara de carácter legislativo. Los diputados serían electos por el mérito de sus ideas y de sus proyectos. No existirían partidos políticos, por lo que el pueblo se vería obligado a leer o enterarse de alguna manera de los planes presentados por cada candidato a la diputación de su distrito y tomar así una decisión informada a la hora de elegir.

A la alta plana, en especial a los veteranos, le parecía peligroso el plan de Blanco, dadas sus propias aspiraciones presidenciales. Por su parte, la Asamblea se volcó en vítores y aplausos a la propuesta de Blanco. Domínguez deseaba interrumpir de inmediato el discurso, pero Marín y Burgos se lo impidieron. La atención de la Asamblea era lo importante, y el entusiasmo generado por el discurso de Blanco bien podría servir para dar paso a los discursos subsiguientes. Lo que verdaderamente parecía fraguarse era una escisión de la alta plana, y una facción emplearía algunas de la ideas de Blanco para relegar a la otra facción. Blanco concluyó con palabras de agradecimiento nuevamente a la alta plana, al pleno, y le cedió la palabra nuevamente a Sierra para que continuaran los trabajos.

La multitud seguía aclamando a Blanco, y Sierra, en vez de apoyar el gesto y emplearlo sabiamente para dar paso al próximo discurso, cometió lo que muchos pensaron (no así este que suscribe) que fue un grave error. Trató de resaltar algunas fallas del esbozo por Blanco, acción que de inmediato causó la incomodidad de Meléndez, Burgos y Marín, y la confusión general de la concurrencia. Domínguez, si bien deseaba minimizar la influencia de Blanco, reconoció el error táctico de su aliado. Blanco se dio cuenta de lo que ocurría (según otras versiones que consideramos más veraces que la oficial ni se enteró de lo que pasaba) y trató de apaciguar los ánimos en el templete oficial por medio de una retirada sutil.

Aquí se confunden los datos. En algunos textos se indica que fue escoltado brutalmente por los allegados a Domínguez, y lanzado por la parte trasera del templete. Cae de bruces y se lastima un brazo. Varios de sus fieles ven el suceso y deciden treparse y enfrentar a los allegados a Domínguez. La confusión que entonces se genera obliga a que Ortega decida llamar al orden y dispone que se hagan varios disparos al aire para acallar la multitud. Pasa entonces a dar su propio discurso, esperando así desviar la atención del incidente. Levantado por algunos de sus hombres, Blanco los mira simplemente con un gesto de confusión y decepción compartido por todos y se encamina a la salida más cercana, agarrándose el brazo lastimado. Nunca más se le volvió a ver.

En las relaciones que consideramos más verídicas, Blanco se escabulle como un cobarde al ver que su discurso ha disgustado a la alta plana, y se dirige a la salida avergonzado, sintiéndose ridículo, cayéndose a cada tres pasos como si no supiera caminar. Es en una de sus propias caídas que se lastima el brazo. Sus propios hombres le abandonan en ese momento, pues temen que el asociarlos con Blanco les traiga represalias. Se oyen algunos disparos y Ortega clama por el arresto de Blanco que ya corría a las afueras del estadio. Nunca más se le volvió a ver.

11
Segunda carta de Waldo Ortiz*

Blanco:

No vayas a la Asamblea. Se sospecha que habrá una pugna de poder. Ya hiciste lo que tenías que hacer, ahora espera a que aquéllos se destapen frente a la multitud que los reconocerá como unos oportunistas. Espera. Habrá abono fértil para tus ideas luego de que esa pugna se acabe. No vayas, pues probablemente te ridiculizarán o te usarán para sus intenciones particulares.

Waldo

*No se tiene constancia de que Blanco recibiera la carta.

12
De los elementos que propiciaron la victoria de la izquierda

Para la mayoría de los historiadores fidedignos el desembarco en Carolina fue cardinal para el desenlace de la contienda. Verdaderamente se puede decir que fue una combinación de ambos desembarcos mayores, el enclave realizado a través de Naguabo, y la inesperada suerte de aquellos que seguían el pelotón de Blanco White. Habrá que reconocer la labor de los marxistas, que habían negociado con otros países del hemisferio la compra de artillería pesada, crucial para los últimos días de la guerra urbana.

Si bien cada facción fue instrumental en la victoria, habrá que mencionar y lamentar el caso de los múltiples espías dobles que abundaron en varios momentos de la contienda. Se sabe que en su mayoría pertenecían al bando nacionalista puro, y que medió la promesa de bonanzas económicas escondidas en las arcas de las Islas Caimán.

La victoria de Carolina estuvo a cargo del general Domínguez y del coronel Sierra. La penetración por Vega Baja a cargo de Ortega y Marín, y la avanzada sorpresiva por Naguabo estuvo a cargo de Meléndez y de Burgos. Habrá que comentar algo en esta presentación sobre la desgraciada misión ponceña. Estuvo capitaneada por el gran mentor, Edgardo Rodríguez Juliá. El una vez reconocido escritor decidió sumarse a la acción liberadora. Muchas veces se le escuchó decir entre sus huestes que el Morro caería y sería el centro de una descomunal celebración. Su grito de guerra habitual siempre fue "Toda utopía tiene una imperfección". Al igual que a Blanco se le engañó por su entusiasmo febril. Contrario a éste, su suerte estaba echada al momento del desembarco. Su pelotón fue apresado en su totalidad en la zona de El Tuque, y se le llevó entonces a la plaza, en donde su cuerpo y el de sus hombres fueron desfigurados por medio de navajas y machetes. Los donomaristas, en control de la zona, festejaron el sufrimiento del otrora gloria de las letras (dato que ignoraban, por supuesto), y se emocionaron al punto de lograr el frenesí divino cuando aún vivos les echaron gasolina (sustancia celebrada en muchos de sus himnos de guerra) "a ese montón de pendejos capitaneados por un viejo achacoso", y vieron surgir las llamas del presagio, las llamas que en un futuro no muy lejano sería la sangre de su sufrimiento y la razón para su erradicación y exterminio absolutos.

La caída de Carolina fue fundamental. La oposición fue mínima ante el asombro que ocasionó la visión de tanta embarcación acorazada. La verdad sea dicha, Domínguez y Sierra supieron dividir de manera eficiente a sus hombres en cuatro bandas que desconcertaron a los yudigordoncistas, que no esperaban un ataque dividido tan monumental. A esto se suma la artillería marxista, que escondida en la zona de Trujillo Alto se movilizó hacia la zona en disputa y acribillaron a cañonazos la retaguardia de los nietos del anexionismo. Mayor fue el asombro al ver que las fuerzas dirigidas por Burgos y Meléndez llegaban desde el sur de Canóvanas.

Ortega y Marín se dividieron al llegar a Vega Baja, enfilando el primero hacia Arecibo y el segundo hacia la capital. Se rumora que Marín fue víctima de insubordinaciones, y que un tal Pérez Montalvo dividió por cuenta propia a los hombres y se adelantó a Marín camino a la zona de San Juan. Se sabe que Pérez Montalvo no llegó a San Juan. Algunos han sugerido que murió valientemente en la destrucción de Bayamón. Esto no lo aseguraría sin reparos. Lo que sí se sabe es que la mayoría de sus hombres se sumó al pelotón de Blanco White, que era ahora una fuerza considerable capaz de asaltar con cierta eficacia la zona de San Juan.

Todos estos elementos se sumaron para crear el momento de mayor efervescencia y entusiasmo. La carnicería brutal había comenzado antes de llegar Blanco. Sierra y Domínguez parecían jugar con el enemigo. Y se le debe a Burgos la captura de Duquésnico. No medió proceso alguno. Fue inmensa la alegría de todos al ver la cabeza del Presidente en la diestra alzada de Burgos. Nadie se ocupó de su cuerpo.

Quedaba entonces por dominar la facción donomarista, que en desbandada se ocultaba en almacenes, en el Coliseo de Puerto Rico (que los marxistas derribaron a cañonazos) y en cualquier lugar donde no se les viera el pellejo pues se sentían sin empuje una vez su líder se ocultó y no dejó rastro de sí ni instrucciones. La victoria huele a sangre, sea cual sea, y es el mejor olor del mundo. Así, obligados a refugiarse en la zona del Escambrón, tres mil donomaristas, se menciona que el propio Blanco White junto a Waldo Ortiz vociferaban a la multitud atrapada "¡Ay papi! ¡Dame más gasolina! ¡Pues cojan más gasolina!" gesto que fue seguido por una lluvia a manguerazo limpio por la que quedaron bañados en gasolina. Marín encendió el fósforo. Ardieron hasta que los consumió la arena o se los llevó la marea. Baby Beast se entregó a Domínguez, luego de ocultarse días en una discoteca convertida en búnker, en el legendario Santurce, acaso esperando así salvar su vida, pero no le valió de mucho. Domínguez inicialmente deseaba perdonarle la vida y convertirlo en un ciudadano ejemplar, al modo del último emperador de la China, pero para Burgos, Meléndez, y muchos otros, no había cuento chino que valiera. A Marín se le ocurrió una ejecución pública, y que fuera Blanco White el verdugo. Burgos objetó, pues pensaba que sería un gesto demasiado pedrerista en un momento en el que se deseaba algún tipo de reconciliación nacional. Marín propuso entonces una ejecución convencional, con ojos vendados y cigarrillo en boca, como tantas veces Hollywood impusiera como modelo predecible. Esto fue lo que se decidió finalmente. Y fue lo que ocurrió.

13

Poco tiempo después de la partida de Stigma, recibí correspondencia suya, que aunque algo irritante por nuestra relación tan destruida, me relataba una serie de cambios importantísimos en la Isla. Cuando me llegó la segunda carta tuve que sentarme a pensar en muchas cosas. Antes que nada, admitir que ella tenía razón. Esto, lo que ocurría en la Isla, era lo que yo siempre había postulado y previsto. Me asombraron algunos elementos, como el desvanecimiento de los populares (ni modo, su cobardía era congénita). Otros aspectos me parecieron obvios, como la cacería inmisericorde que se le hizo a los antiguos pipiolos. La izquierda en Puerto Rico siempre se tuvo ganas, y no perdona tampoco ese giro a la derecha que hizo del verde un maldito color. "La muerte es roja, la sangre es roja, la izquierda es roja", llegué a pensar, "la sangre verde me parece podrida".

Supe inmediatamente que debía partir lo antes posible. La estancia en Mykonos ya me aturdía de tanto fármaco repetido, amén de las delicias mundanas que constituían mi oculta pasión por la muerte, el extremo que supone toda celebración de la vitalidad. No era el mismo físicamente. Había adelgazado, mi coordinación mecánica estaba destinada al ritual del baile, y tal vez a la delectación amorosa.

Corté inmediatamente con todo. Nada de drogas, nada de espíritus destilados, nada de amanecerme. No dejé el sexo porque lo consideré como una forma de ejercicio. Pero yo ya era un viejo para entonces. Cincuenta y pico mal llevados años, si bien me decían siempre que aparentaba menos. Después de algunos días de limpieza, por así decirlo, debía dejar el Egeo e ir hacia el occidente amenazante y adictivo a la vez. ¿Podría yo participar como Dios manda en un conflicto bélico? ¿No me consumiría el temor, la incertidumbre, la idea de que todo era alocado? La muerte era lo de menos. La tuve cerca todos los días. Ricos días de abandono y entrega sensorial, de vida sinestésica, de paraísos perpetuos tan frágiles y efímeros. Todavía evoco la sensación de la noche eterna: llegar a ese punto en el que el cuerpo y la conciencia cobran una dimensión temporal propia, y todo se extiende, todo se aleja, todo se siente más lento mientras todo en la mente va más rápido.

Partí al quinto día. Y cuando partí tenía dos cosas en mente. La primera, por supuesto, el deber autoimpuesto. La segunda, puramente opcional, despedirme en Ibiza de Mariana, el ser más libre de la esfera terrestre, tan esclava de la levedad y la propensión al desarraigo. No tenía que ir. Quise ir. Ella en mi caso, sé muy bien que no lo habría hecho. Especulaba, por supuesto. Perdía el tiempo si la juzgaba. De hecho, imitarla un poco me ayudó a emplear el olvido como herramienta útil a la hora de borrar cualquier cosa indeseable o impertinente de la mente. Bueno, nunca pude imitarla totalmente. Yo era yo, y nunca dejaría de serlo. Sólo aprendí a reconocer otras vías que tal vez habitaban en mí, pero a las que nunca había prestado importancia. Tal vez fui un mal alumno, sin embargo (por suerte), y en vez de irme sin ningún sentido de responsabilidad y aprecio, decidí ir a verla. Yo era yo. Y me aguardaba vencer o caer derrotado, pero nunca ser esclavo de la nada.

—¿Para qué viniste? ¿A sufrir doblemente? Verme no te servirá de ayuda alguna. ¿No te es suficiente castigar tu mente con las quimeras que fraguas al recordar el origen? Y además sabes lo que pienso de todo lo que crees y lo que has decidido hacer en adelante. Definirse es una quimera, una pérdida de tiempo.

—Si alguien sabe de disfraces soy yo.

Ella me sonrió. Entonces cometí el error de decirle algo propio de su pura cosecha:

—Me voy y no vuelvo.

—Siempre dices eso, no sólo yo lo hago.

Era cierto. Yo había jurado no regresar a la Isla y aquí estaba, a mitad del camino. Sentí su contestación como si me hubiera leído la mente. Siempre me sentí así a su lado.

—No es que me importe que vuelvas o no. Tú eres mayorcito y harás lo que quieras. Yo sé lo que haré, lo que he hecho hasta ahora, hasta el día de hoy, lo que...

—Lo que te define —la interrumpí con un gusto impecable—. Claro que no hay definiciones, siempre me dijiste. Retórica. Eres tan concreta como el que más, tan propensa a engañarte a ti misma, tan propensa a la ceguera de quien se piensa libre, de quien se piensa desatado. Estás atada a la muerte, y la experimentarás sin entenderla, sin razonarla, sin sentirla. Yo estoy atado a la muerte, y haré algo antes de que llegue y me muerda, o acaso antes de que la busque yo mismo. Tal vez soy injusto contigo, pero hoy quiero serlo.

—¿Y eso es lo que me dices? ¡Vaya declaración patética de un moderno común!

—Sí, y viviré la decepción si es preciso que lo haga. ¿Y tú, qué eres?

Me miró mal, muy mal. Por mucho tiempo me miró muy mal. Entonces volvió a sonreírme.

—Buena suerte Blanco.

La abracé. Se sintió como la primera vez en aquella fiesta matutina. ¡Qué bueno es ser moderno y pensar que la memoria nos regala un instante de eternidad! La miré a los ojos, posé mis manos en sus mejillas, y me interrumpió.

No lo digas. Ya lo sé. Ven bésame y vete. Sé que otro día me lo dirás.

La besé, pero no me fui.

Y partí al quinto día.

14
Los hechos de Arecibo

En esos días se esperaba una lucha sin cuartel en el litoral norte y el grupo dirigido por Blanco White, ahora más numeroso por la travesía por la Cordillera Central, se dirigía en esa dirección para participar de alguna forma a modo de una retaguardia inesperada. Al pasar por un camino entre dos cerros se topó con el disco inmenso del radiotelescopio de Arecibo. Al dar más o menos media vuelta al disco, el grupo divisó la estación de control, todavía activa y funcional. Esto podría deberse a varias razones, entre ellas la más lógica que sería que todavía la Universidad de Cornell tuviera tratos con el gobierno de turno.

La puerta de la instalación se abrió y tres gringos salieron al encuentro de Blanco y su grupo. Caminaban tranquilamente sin dar impresión alguna de sentirse ni angustiados ni temerarios. Blanco y los suyos aguardaron lo que parecía más bien un recibimiento sin novedad alguna. Al estar ya a unos pasos de distancia comenzaron a disparar desde dentro de la instalación. Los gringos, algo asustados sacaron también armas que llevaban escondidas. Dos combatientes del grupo de Blanco cayeron muertos. Santiago, Vera y Mercado lograron neutralizar el ataque al lanzar granadas. Los tres gringos intentaron huir, pero un grupo de veinte combatientes les cerró el paso. Soltaron las armas y se rindieron sin resistir.

Otra ráfaga de disparos vino de dentro de la estación y esta vez Ayala, que estaba cerca de la misma, lanzó una bomba lacrimógena a la puerta. Cuando se sintió movimiento en el interior, Ayala bañó de balas el mismo desde la puerta. Al disiparse el humo, Ayala y Santiago entraron y sacaron primero dos cuerpos de soldados yudigordoncistas, y luego sacaron dos cuerpos de dos hombres de apariencia eurogringa. La documentación que llevaban encima revelaba que eran agentes de la CIA. Para Blanco y los suyos esto constituía la prueba de que todavía había ciertos intereses estadounidenses, y que los mismos se verían mejor sustentados con el régimen actual.

Los tres gringos que se habían rendido dijeron que ellos eran científicos de la Universidad de Cornell, que los hombres de la CIA y el contingente yudigordoncista los enviaron al frente para distraer la atención y que no tenían más alternativa que obedecer. Blanco White los observaba atentamente. Ellos comenzaron a explicar nuevamente su situación, un poco nerviosos por notar que no hubo una reacción inicial a su relato. Los hombres de Blanco White hablaban entre sí y le decían a Blanco que decidiera qué hacer con ellos. Blanco le dijo tranquilamente a los estadounidenses "Mi no spik inglish" Los tres estadounidenses se miraron entre sí consternados y de súbito empezaron a preguntar si alguien sabía inglés en el contingente y que les ayudaran. Mercado le dijo a Blanco: "Son gringos, no nos podemos arriesgar a dejarlos y que se comuniquen con el enemigo, amén de que podrían estar mintiendo". Santiago, por su parte, le dijo de manera más enfática, casi como una orden: "José Blanco White, fueron más de cien años". Pasaron dos minutos silenciosos. Los tres gringos trataron entonces de recomenzar su historia, e incluso trataron de usar palabras y frases en español, como "fuimos usados" y "nos obligaron" mientras se tocaban el pecho. Uno de ellos usó entonces la palabra "inocentes". En ese momento, Blanco White sacó su 45 automática y la apuntó al grupo de los tres gringos que levantaron sus brazos en ademán de clemencia. Blanco White les dijo entonces en perfecto inglés: "No one is innocent". Apuntó al primero, dijo "God" y le disparó en la frente. Apuntó al segundo, dijo "bless" y le disparó en la frente. El tercero se arrodilló. Blanco abrió los ojos lo más que pudo, miró fijamente al gringo, le apuntó y dijo "America" y le disparó en la frente. Hubo un silencio sepulcral por un minuto y entonces todos los combatientes de Blanco White comenzaron a sonreír poco a poco. Blanco notó la unánime reacción de sus hombres. Observó por última vez los cadáveres de los tres gringos. Volvió a mirar a sus hombres, esta vez con una sonrisa demencial y maligna, y dijo con perfecta pronunciación clásica: "Utile dulce". Y así ocurrió todo.

15

En el viaje de regreso no sabía exactamente qué pensar. Era todavía válido mi pasaporte gringo, por lo que negocié mi entrada por Miami, que junto a Nueva York y Orlando eran las tres ciudades que mantenían vuelos a Puerto Rico. En el largo viaje de Madrid a Miami ya se daba la semilla de mi futuro entusiasmo y mi febril actitud. La idea de que la Isla efectivamente era independiente, aunque estuviera en proceso de caos político, me llenaba de regocijo el espíritu. ¡Tanto que le decían a uno que esto nunca pasaría! Ahora, ya casi de viejo, por lo menos vería algo del sueño (acaso la pesadilla previa además, y la futura) y podría participar activamente en el proceso.

Llegado al aeropuerto de Isla Verde (renombrado así porque a nadie le interesaba recordar a Muñoz) se me observaba como se observa a todo turista, con la complacencia y la lambeojería acostumbradas del boricua. Yo me aproveché del hecho. Hablé en inglés a los maleteros y al taxista en todo momento, dije que tocaba en una banda de rock famosa y que era mi primer viaje a Puerto Rico. En adelante debía jugar, pues, con mi papel de turista mientras me llevaban hasta Fajardo. Era un ser anónimo, y tuve bastante tiempo en el trayecto para ver y vivir el régimen, darme cuenta de las condiciones, entender las reacciones mixtas de la población. Allí me esperaban, y a tantos otros, que se lanzaban a la misma empresa, tres botes del grupo de los nacionalistas impuros, en una playa de la que solían decir que era de nudistas o de homosexuales cuando yo era joven.

Fue allí que reconocí a un viejo amigo, Edgardo Rodríguez Juliá, el mentor, el escritor que cimentó su memoria y su infamia con *La noche oscura del niño Avilés*. En el trayecto hablamos de viejos tiempos, de achaques de viejos, de manías de viejos, de manías de maniáticos. Me dijo que se unía en calidad de combatiente a las fuerzas impuras, nombre que le pareció prometedor ante la historia fracasada de las ideologías tradicionales. Le pregunté si sabía exactamente a lo que íbamos.

—No me preguntes mucho. A mí me dirán en Vieques de qué se trata y ya me monté en el bote, literalmente.

Le pregunté por su presión arterial y otras condiciones de cuidado que recordaba, y entre queja y queja las desestimó.

—Es la hora de la patria. Me puedo caer muerto de sopetón aquí mismo y es ésta mi obra.

—Bueno, sí —le dije, y te deseo el mayor éxito en la empresa en que participes. A lo mejor nos toca juntos.

—Puede ser. Lamento lo de Stigma. Sé que comoquiera se querían y respetaban mucho.

—¿Qué de Stigma? ¿Que ha muerto?

—¿No lo sabías? Es acaso la mártir del movimiento a estas alturas.

—Vine porque me convenció en dos cartas.

—Y te envió más, lo que pasa es que nunca te enteraste.

Stigma había muerto. Pensé que mi responsabilidad sería doble. Ya el conflicto se volvía algo muy, muy real en mi mente.

—¿Serviremos para esto Edgardo?

—Creo que debemos postular y celebrar mejor el hecho de que "lo haremos", aunque en verdad no sirvamos para esto, ni para nada.

Ya al rato se divisaba Isabel II, la cede del poder municipal de la Isla Nena. Nunca pude asimilar eso de "Isla Nena", pues siempre tuve una idea "masculina" de Vieques y una femenina de Culebra. Pendejadas que le da a uno con pensar, supongo que... [falta una hoja en el manuscrito] ...fue vitoreado al mencionarse Vega Baja. Entonces llamaron a Burgos y a Meléndez y les asignaron Naguabo, lo que fue seguido de otro estruendo. Y entonces dijeron "Rodríguez Juliá para Ponce" y hubo otro estruendo y Edgardo se emocionó. Recuerdo que le dije:

—Ahora podrás combatir en el hogar de la plena.

—Exactamente, en la antiutopía —me contestó.

Y escuché finalmente "Blanco White, Guayama" y nuevamente vítores, aunque también noté algunas risas y sarcasmo en derredor. De hecho, en adelante recuerdo que se me miraba de manera extraña, y ya al pasar a la noche esto último llegó a incomodarme más que los mosquitos bobos.

El grupo de Edgardo y el mío zarparían de Esperanza. Los demás lo harían de Isabel II. Poco se nos dijo de lo que pensaban hacer los puros y los marxistas, si bien nos indicaron que apenas unos días antes en Guayama los marxistas habían combatido y que a lo mejor no encontraríamos mucha resistencia porque ninguno de los contendores ocupó la ciudad. Pero nunca se nos dijo nada sobre la ubicación de los enemigos, que pensaba yo que sería algo elemental. Lo que sí me indicaron fue el color de los uniformes: verde con cintas rojas los marxistas; negro con cintas blancas y las boinas con la cruz de Malta los nacionalistas puros; azul con amarillo estridente los yudigordoncistas; calzones de cualquier estilo pero de camuflaje selvático con cualquier prenda superior de estilo y motivo deportivos los donomaristas; y nosotros, los impuros, pantalón negro, camisa azul con detalles en rojo. Todos se burlaban de mí porque obviamente desentonaba con ellos. Pero la verdad sea dicha, su uniforme no era muy vistoso que se diga. De todas maneras alguien escuchó las burlas y dijo:

—Dejen de joderlo que es teniente.

Y el cuchicheo se acabó.

Ya en el mar la mañana siguiente me sentí como un imbécil, pues no le pregunté a Edgardo por algún detalle que supiera de la muerte de Stigma. Siempre que se sale de casa se le olvida a uno algo, como se dice. Ni modo, no iba a nadar hasta su bote para preguntarle ahora. De hecho no lo haría en ningún momento porque, al contrario de él, yo no sé nadar.

16
De la frágil unidad de la derecha

Era de todos sabido que la unidad de la derecha no era muy sólida y que se veía afectada por diferencias de criterio fundamentales. Baby Beast era un hombre de su pueblo, dedicado y carismático, un macho alfa si los hubo. Todos le seguían admirados e inmersos en la hipnótica repetición del neorritmo antillano. Era un hombre fuerte, capaz de cualquier proeza, valiente y temerario.

En esto se fundaba el temor que le infundía al bando dirigido por Duquésnico. Éste, por su parte, se proyectaba como el platónico filósofo rey, y daba siempre la impresión de estar haciendo obras encaminadas a fomentar el desarrollo intelectual de nuestro pueblo adormecido por los robos de la historia, y la depurada vocación insomne.

Porque si en algo coincidían ambos bandos era en un desmedido amor a la vida noctámbula. Ya fuera una fiesta "jet set" aminorada y criolla o una velada de abandono al contoneo de las caderas, se concretaba una unidad basada en la estabilidad del ocio. Mientras hubiera tal equilibrio, todo marcharía bien. Un hilo de desprecio mutuo, sin embargo, era lo que separaba a la cima de la pirámide social de su base, imponente y amplia.

17
Tercera carta de Stigma*

Blanco:

He deseado llegar a ti una vez más para que despiertes tu sentido de responsabilidad. No me engañas Blanco, sé quien eres, sé lo que harás. Acá ya han pasado muchas cosas. Y yo he logrado realizar muchas de ellas, es decir, he participado con éxito en las misiones que me asignan. Creer es poderoso. No pierdas más tu tiempo. Echas a perder el tiempo de todos, porque sé que crees en esto.

También te escribo para hablarte de lo que me toca hacer pronto. Junto a otros debo adentrarme en territorio de la derecha (Plaza las Américas, ni más ni menos) y debo finalmente tratar de destruir parte del arsenal mayor que suponemos que debe estar guardado allí o en la vieja armería que queda al lado. Es una misión peligrosa. Y te confieso que tengo miedo, algo de miedo.

No es para que te sientas bien ni nada, pero te extraño un poco. Más que nada por lo que ocurre. Sé que estarías jubiloso, loco por participar de alguna manera. Espero que no sientas que es tarde para ti, la hora del sacrificio es eterna y es justa. Bueno, nos veremos pronto, espero, después de la victoria.

Un abrazo solidario y mis deseos de que vengas pronto.

Stigma

*Nunca fue leída esta carta por Blanco White.

18

No estaba muy seguro del lugar en que estábamos. Podría ser Santa Rosa o Guaraguao. No lo sabía bien. Sabía que marcharíamos a Camarones y de alguna manera usaríamos la carretera número 1 como guía hacia San Juan. No quería que fuera la vía principal propiamente. Seguramente nos toparíamos allí con donomaristas. Decidí en aquel momento que avanzaríamos de manera paralela a la antigua ruta de las losetas y los moteles. Recuerdo pensar en lo frágil que había sido todo. Un mundo desaparecido, y por suerte, hubo quienes decidieron invertir su vida en rehacerlo todo. Buenos y malos, justos y canallas: tenían un plan, una visión, y bien valía dejar correr la sangre frente a la cobardía de todos los que huyeron, de todos los que se llenaron la boca hablando del final de los proyectos y de la nimiedad de los propósitos. Yo había huido, pero regresé. Y lo he visto todo: las carencias, las violaciones, los cuerpos profanados, la arbitrariedad de los actos y de los designios, el fratricidio, el fratricidio tan necesario para proponer, para llevar a cabo, para definir.

Por fin descansábamos algo antes de emprender el viaje a la capital. Miraba el rostro de mis hombres, tan marcado por la demencial travesía. Y me alegraba haberme encontrado con Waldo, mi casi hermano, tan recto, tan consciente de lo que urgía. Y vi el rostro de Vera, a quien en el pasado llamé discípulo, y hoy admiro como persona íntegra, como hombre de letras y de armas. Y Santiago. Esta era más su guerra que la de nadie.

—¿Cómo te sientes Eleuterio?

—Algo cansado, pero supongo que es parte inevitable de la faena —me contestó tranquilo—. Lamento ese final tan nefasto en Bayamón pues sé que te criaste allí —añadió mientras encendía una fogata.

—Nada. La destrucción ya no nos debe pesar. Era Bayamón, pero pudo ser Patillas. Nada, a seguir. Y a disfrutar de este lapso de descanso y acaso de razón. Nada más recordar a Pérez Montalvo me desvía, me encabrona.

—Ese ya se comió su mierda, y fueron los suyos los que lo ajusticiaron. Hay cordura, todavía hay cordura.

Entonces se nos acercó Waldo, sonriente, feliz, devorando lo que parecía media gallina.

—¿Nunca recibiste la carta que te envié? —me dijo.

—¿Cuál carta?

—Una en que te advertía de que tu misión se diseñó para distraer, para que los mataran a ustedes mientras aquéllos invadían por el norte.

—Yo ya lo venía pensando —indicó Santiago—, desde que en Guayama las cosas no parecían lo que se suponía que fueran.

—Les digo a ambos que lo de Cayey ha resonado. Son vistos como el orgullo de esta avanzada final. El gran imprevisto. José Blanco White, liberador de Cayey —terminó Waldo de decir, sonriente, y a punto de regresar a su gallina devorada.

—No hombre, eso fue obra de todos y fue un golpe de suerte —dije—. Lo que me extraña aún es el caso de Pérez Montalvo, y como no se habían sublevado ustedes antes.

—Era difícil, porque numéricamente estaba bastante pareja la cosa. Mucha promesa de bonanza. Ya sabes como es esto.

—Me alegra verte hermano. ¿Y tus hijas?

—Les he pedido que no vuelvan hasta que termine todo —me contestó.

—Siempre hay que temer que todo se repita —interrumpió Santiago—. Tal vez no las veas más.

—Lo he pensado. Lo he aceptado.

—Todo se repite —dije algo reflexivo y vanamente borgiano—. Si no hay repetición, no hay definición. Eso lo asimilé de aquellas conversaciones que solíamos tener en tu casa Waldo. Recuerdo como ayer tus palabras sobre la Quinta de Beethoven. Recuerdo aquello que decías de que era demostrar cuánto se puede repetir sin que la repetición fuera mera monotonía. Y tenías toda la razón. Para mí es la mejor. Yo adoro la Novena, y no le discuto mucho a los fanáticos de la Séptima, pero la Quinta es un límite estético, un lugar al que tenía que llegar el tipo para entonces liberar su capacidad enteramente.

—¿Y tú te acuerdas de esas conversaciones?

—Sí, muchas veces.

—Pero ahora hay cosas más urgentes de qué pensar, ¿no?

—No, Waldo —le dije—. Es de noche, no se lucha, nos conocemos todos aquí, nos apreciamos. Debemos disfrutar del milagro que es este lapso de tiempo, antes de que salga el Sol y se nos acabe esta bonanza.

—Eso suena a Cervantes, José —interrumpió Santiago.

—Claro Eleuterio, El *Coloquio*. A Cervantes hay que meterlo siempre en alguna parte —dije sonreído y feliz.

—Siento muy lejos ya la música —lamentó Waldo mientras seguía comiendo.

—Eso vuelve, Waldo, eso vuelve porque el músico es otro tipo de persona, otro concepto de ser humano. Piensa de manera diferente, y asimila la verdad numérica del mundo desde un ángulo imprevisto para los demás —sentencié entusiasmado—. Tu nostalgia es otra, tus hijas, y eso también pasará.

Vera se acercó a escucharnos. La mención del *Coloquio* le hizo mirar varias veces a donde estábamos, y ahora la discusión sobre música le atrajo mucho más.

—Profe, es como escucharlo casi en una de sus clases —dijo mientras se sentaba entre nosotros.

—¡Cómo pasa el tiempo, Vera! Tú con la edad que tendría yo cuando te conocí, más o menos.

—Más o menos profe, pero usted sigue siendo el mismo.

—No. Tengo mucha rabia. En aquellos años era acaso algo de inconformidad. Hoy es una rabia real, y siento que es necesario padecerla.

Todos nos miramos unos segundos. Pasó un silencio de esos que anuncian un giro en la conversación, de los que la gente siempre dice "acaba de pasar un muerto por aquí".

—¿Qué hubo de tus padres? —me preguntó Waldo.

—Papá murió del corazón, como siempre quiso. Mamá, pues, ya sabes. Fue lenta su agonía y su olvido total de lo que la rodeaba. ¿Y tu mamá?

—Del corazón. Supongo que no sufrió porque fue fulminante.

—Tocabas guitarra en la placita de Humanidades, no? —le preguntó Santiago a Waldo.

—Sí, yo era el de la guitarra en la placita.

—Sabía que te había visto en alguna parte.

—Todos lo recordamos de esos años —añadí—, esos años tan lejanos.

—Oye José, ¿y cuándo te dio con lo de tatuarte el ojo? —me preguntó Waldo.

—Nada, vainas que le dan a uno. No quería maquillarme todo el tiempo y sentía que el mundo de la oscuridad tenía ya para mí un significado fijo. Si no, no lo habría hecho. Los signos no valen nada. Estas marcas en los ojos son la huella de lo que no se olvida.

—Sé de lo que hablas —me interrumpió—, y no te culparía. Sé que tu vida siguió otra ruta, pero quien ve tus ojos, ve toda esa historia.

Yo no quería llorar, pero se me hacía difícil contenerme. Vera salvó la situación.

—Y tú Santiago, ¿desde cuándo conoces al profe?

—Lo conocí en los años noventa. Coincidimos algún tiempo mínimo de estudio en los Estados Unidos, y coincidimos mucho más en nuestro encojonamiento hacia varias personas.

Todos reímos. Me sentí libre. Me sentí inmerso nuevamente en el presente. Lo único que cuenta, el presente. Gente conocí que coqueteaba con esa noción, gente que tal vez no entendía enteramente lo que significaba. No juzgo ya. En esa noche lo que importaba era ser cuatro hombres comprometidos con la idea de matar para vivir, y seguir matando hasta que acabara todo. Hasta que se acabara uno mismo. Todo lo que había vivido antes palidecía. Era la hora de la nación como se diría. Los que huyeron, quisiera verlos frente a mí ahora, reprochándome mis elecciones personales y defendiendo su cobardía, su espacio gris, su ambigüedad conceptual de todo hecho. El papel lo aguanta todo, se suele decir. Moriré en mi realidad, y moriré en mi escritura, pero me aseguraré de matar a muchos con ella antes de sucumbir.

—Pues yo confieso que me gustaba más el fútbol americano —señaló Waldo.

—Te secundo —dije—. A mí el fútbol balompié me hartaba de aborrecimiento. ¿Qué es eso de pagarle una millonada a gente que corre de un lado de la cancha al otro para que termine empate el juego, o peor, que nadie anote? En eso los gringos sabían lo que hacían. El fútbol gringo se basa en un sistema de jugadas que la defensa tiene que leer o predecir. Hay que superar el prejuicio que siempre hubo con lo de la violencia del juego. Todo el mundo tildando el juego de rudo. Bueno, ¿y qué pensarían de la masacre de Guayama? ¿De los horrores que vimos en Bayamón? ¿De la anarquía de los pueblos de la cordillera?

—Con calma José —me interrumpió Waldo.

—Sí José, no te sulfures tanto por el fútbol, si a fin de cuentas el béisbol es un deporte muy superior y más nuestro —señaló Santiago.

Y volvimos a reír.

Serían ya como las doce cuando nos cansamos de hablar. Los demás dormían y algunos hacían guardia. Santiago y Vera se fueron a dormir. Quedé con Waldo frente a la fogata casi consumida ya.

—Debes irte en la mañana Waldo, y tratar de hacer contacto con el grupo que viene desde Naguabo —le dije—. Adviérteles de nuestra presencia y del peligro que corremos en el lugar en que estamos.

—¿No iré solo?

—Por supuesto que no. Irás con por lo menos veinte hombres. Quedaremos como cincuenta. Creo que podremos seguir paralelos a la número uno por un tiempo, pero es zona difícil, zona blindada de donomaristas. Trata de que se desvíen un poco hacia acá los de Naguabo.

—Hay marxistas en Trujillo Alto.

—No sabía eso.

—Tal vez con ellos tenga más suerte. Están más cerca.

—No dejes de enviar a un mensajero entonces, tanto al grupo de Naguabo como a nosotros. Así sabré que estás bien y que se ha logrado alguna comunicación entre los bandos sueltos.

—Iré entonces —me indicó resuelto—. No quería dejarte aquí pero tienes razón. Si la avanzada no se concierta, será difícil sorprender su retaguardia de manera contundente.

Hubo un silencio de acaso tres minutos. Ambos reflexionábamos y nos alentábamos con nuestros gestos.

—¿Sabes qué es algo que verdaderamente lamento Waldo?

—¿Qué?

Que el cabrón de John Bonham se muriera cuando se murió, coño, porque el disco ese de *In Through the Outdoor* prometía una renovación del rock que se perdió para siempre en el marasmo de los años ochenta.

—¡Qué sucio! ¿Y estás pensando en eso ahora?

—¿Y por qué no? Me distraigo con el arte. O por lo menos me distraigo pensando en el arte, recordando nota por nota, tarareando piezas enteras, recitándome poemas, recordando cuadros. He tenido hasta tiempo para tomar algunas notas por si alguna vez vuelvo a escribir. Es una pena que yo no haya podido ver más de la obra pictórica de tu hija.

—Ya la verás alguna vez. Esto se acabará.

—Sí, y tú volverás a ser padre y abuelo, y volverás a la guitarra.

—Y seguramente seré voluntario en alguna escuela. Hay que seguir formando músicos.

—Cierto. Hay que seguir formando mentes.

—¿Y tú que harás José Blanco White?

128

—No sé. Daré ideas, opinaré, trataré de contribuir para que esto tenga forma de algún modo. Tal vez enseñe. O me quedo aquí, con la M-16 y el atuendo ridículo.

—¿Y si se vuelve a joder esto? ¿Si no nos hacen caso?

—Pues moriré en mi realidad, en mi decepción, en mi escritura, pero me aseguraré de matar a muchos con ella antes de sucumbir.

19
De la falta de decoro público de los vencedores

Ha de decirse que llegados los últimos días de la guerra se hacía patente que el trato que darían los vencedores a los veteranos y miembros respetuosos y prominentes del gobierno vencido constituiría un crimen, una afrenta que sólo es de esperarse de animales salvajes y de seres bárbaros. Se acusó indebidamente a Baby Beast de ser un cobarde que había huido de sus responsabilidades como líder máximo de la avanzada donomarista. Damos crédito a las versiones que indican que fue capturado en batalla, defendiendo valientemente la zona de Hato Rey, razón por la que hay que desechar la teoría, o más bien el rumor de que éste se escondía cobardemente mientras acribillaban a sus hombres.

El atroz incidente de mostrar la cabeza del Presidente, sólo auguraba el estilo que habría de caracterizar al gobierno entrante, amén de constituir una injusticia total a hombre tan íntegro y digno. Se sabe además que la izquierda fue malagradecida con varias de sus figuras prominentes, que fueron ridiculizados y humillados públicamente por el mínimo desvío de las indicaciones generales impartidas al comenzar la campaña final. No nos asombra este hecho, sin embargo, propio de los que en adelante arruinarán la administración pública y el verdadero sentido cosmopolita de lo nacional.

Deseamos a su vez negar que hubiese tal cosa como una quema en masa de donomaristas en la zona aledaña a la playa del Escambrón en San Juan, toda vez que la mayoría de los mismos sucumbió en la batalla de Hato Rey, junto a su valeroso líder y el resto se dispersó por la Isla, afanados en reorganizar una resistencia que seguramente logrará retomar las riendas del país, esperamos que en poco tiempo.

20

[...]

—Me voy de una vez—recuerdo que les dije.

—Caníbales hay donde quiera. Verás como las cosas cambian. Queda por hacerse bastante —me indicó Santiago.

—Sí, lo sé. Creo que me canso por fin. No quiero tratar con ello tampoco. Ustedes no deberían tampoco, pero ya eso será su decisión.

—Quédate— insistió Waldo.

—Compré ya el pasaje y soy de los que no voto el dinero. Tampoco me gusta eso de que quieran aguantarme el dinero para sustituirlo por otro viaje. Ya he sido pendejo lo suficiente. Me queda pasar al terminal, y al término. Reina la Luna, no hay Sol, no hay orden. Y esta noche eterna no es como la que añoro y a la que me encamino. Regresaré a ella, a la que multiplica los segundos y nos va consumiendo. Y un día, por supuesto, no reconoceré nada y se acabará el tiempo.

—Tal vez vayamos a verte —manifestó Santiago.

—No vayan. No me encontrarán entre tantas islas o no me reconocerán acaso.

—Siempre has dicho que nadie se puede perder en una isla —me recordó Waldo.

—Cierto, pero tal vez no te hablo del mismo tipo de isla hoy. Adiós, y espero que logren mucho.

Entré al terminal. Mostré mis documentos falsos. El encargado del portal se fijó en mi maquillaje, esta vez diseñado para tapar mis marcas, me sonrió y me saludó con cierto respeto. Me llamó teniente, pero no mencionó mi nombre. Y me deseó un buen viaje.

—Viajaré, sí. "Viajaré".

Le sonreí y continué la marcha. Lloré. Ya había muerto.

21

Me sorprendió un poco llegar a Ciales y no volver a encontrar a nadie. Un eco de Guayama. Pensé lo peor, por supuesto.

—Blanco, he visto moverse a alguien entre esas dos casas —me señaló el médico.

Envié a Santiago y a Mercado a investigar. Luego de quince minutos Mercado traía a alguien sentado a la grupa, alguien que alcancé a reconocer.

—José Blanco White, ¿no me reconoces?

Escuché su voz familiar, vi su cara cambiada por los años. Lo conocía, y esa fue su tragedia, por llamarla de alguna forma.

— Jaime Nicolás Arnau, imposible olvidarte. ¿Qué haces corriendo de edificio a edificio?

—Nunca sé quién viene. Donomaristas, yudigordoncistas, pandillas de ladrones que se dedican a usurpar. Hasta federales dicen que todavía hay por ahí.

—¡Gente! —llamé a todos—. Ante ustedes Jaime Nicolás Arnau, tal vez el último pipiolo de nacimiento y vocación.

—Vamos Blanco, deja el relajo, ya sabes que el PIP es cosa muerta.

—Después de hoy puedes estar seguro.

Silencio total. Arnau entendió perfectamente.

—Has tenido tiempo para reivindicarte, unirte a los pelotones, usar otro nombre, usar la cabeza para algo. ¡Por Dios!

—Eres injusto Blanco.

—Quiero serlo. Como lo fueron ustedes todos esos años con tanto independentista de valía. ¡Santiago, amárralo y recuéstalo boca abajo con las manos en la espalda! Que queden los dedos hacia arriba.

Santiago y Mercado lo ataron y lo pusieron en el suelo en la posición que les había indicado.

—Gente, les voy a mostrar ahora algo de lo que me habló un español que estuvo en la Legión Extranjera francesa. Creo que es el momento indicado para ponerlo en práctica. Siempre pensé que era cruel. Hoy lo considero justo, tan justo que hasta yo mismo me asusto.

Entonces en ese momento me dispuse a cortarle cada uno de los dedos de las manos a la altura de la mitad de los mismos con una navaja. Los gritos eran insoportables, y la visión indescriptible, aunque la recuerdo hoy con tenacidad y orgullo.

—Lo hago por ti y por tus amigos del PIP que malgastaron su vocación real por la independencia.

Arnau lloraba mientras sentía que su espalda se encharcaba de sangre.

—La sangre es roja Jaime Arnau. No es verde. Verde es la clorofila que se deja comer de las vacas.

—¡Blanco, hijo de puta, me cago en tu madre mil veces!

Me le acerqué, le sonreí y le dije:

—Y yo me cago en la tuya niño mimado. Gente, díganle adiós al último pipiolo suelto.

—Todavía está vivo —observó Santiago.

—Quédate con él hasta que consideres justo el perdón —dije en tono de broma.

—¡Maldito Blanco de mierda!

—Sí Arnau, "maldito Blanco de mierda". Eso mismo solía decir mi padre de los pipiolos: "malditos blanquitos de mierda". Mi padre era un hombre sabio. Su único defecto fue ser penepé. ¿Y tú Arnau? ¿Tuviste algún defecto? Yo reconozco los míos. Pregúntale a cualquiera de mis soldados: soy un egoísta.

Arnau cerró los ojos.

—No dejes que cierre los ojos, Santiago —le ordené—. Échale sal a los dedos. Cuenta hasta setenta y ocho, y entonces haz lo que te de la gana con él.

Seguimos la marcha. A los minutos se oyó un disparo.

—Vamos —les dije—, vayamos a darle un poco de orden a la anarquía de estos montes.

Por primera vez en mucho tiempo me sentí feliz.

22
Tercera carta de Waldo Ortiz*

Blanco:

No insistiré en que regreses a la Isla, pues sabes bien el modo en que la traición ha amoldado ciertos procesos. Te informo que el bando de Marín, Burgos y Meléndez logró una coalición eficiente con los antiguos marxistas (ya te diré por qué "antiguos"), lo que evitó que Domínguez y Ortega se escudaran tras su fama marcial para imponer una dictadura ordinaria. Quedó también probado el vínculo de la CIA con los yudigordoncistas.

En cuanto al sistema, no es exactamente la dictadura de directorio que propusiste, pero al menos no se trata de una democracia vacía y carente de sentido. Se siguió tu consejo sobre la abolición de los partidos políticos. Los marxistas objetaron inicialmente, pero ya se acostumbraron simplemente a votar en bloque si les conviene, con la suerte de que se ha evitado el recelo partidista, razón por la que votan incluso por lo que propone otra gente. No hay tal cosa como oficinas centrales de nada, y es ilegal como tal el concepto mismo de partido.

Reconstruyen Bayamón poco a poco. Pensé que querrías saber esto. Algunos han vuelto del exterior y su actitud es positiva a los cambios. Guayama está rejuvenecida, y hay un monumento hermoso a los caídos. Y por supuesto, hay dos o tres estatuas tuyas. Una en Cayey, como era de esperarse, otra en Arecibo, una en Bayamón y creo que hay un busto tuyo en el pabellón nacional, un círculo de bustos localizado en donde estaba el coliseo derribado. Alguien propuso tumbar el totem en Ballajá y poner tu estatua, pero como muchos sabíamos que odiabas tu edificio natal se desistió rápidamente del asunto. Creo que lo que hicieron fue rehabilitar el estacionamiento derribado, aunque ciertamente el totem ese desapareció a Dios gracias.

¿En verdad te quedas por allá? No insisto más. Espero que no estés muy destruido. Conozco de tus malas mañas y de lo que llamas tus ansias de destrucción. Se me olvidaba decirte que Santiago es parte de la alta cúpula, secretario de estado o algo semejante. Mis hijas han regresado y sabrás lo feliz que me encuentro. Me gustaría que vieras las últimas pinturas de Patricia. Te sentirías muy orgulloso. A mí me vuelan la cabeza.

Cuídate. No te metas demasiadas porquerías. Diviértete, y trata de morir sonriente. Pero sabes perfectamente que perteneces también a este mundo que, aunque pugna todavía con sus contradicciones, se parece más y más al Puerto Rico que suponíamos posible.

Un abrazo,

Waldo Ortiz

*Se encontró entre los documentos de Blanco White dejados en Ibiza.

23

Como había mencionado antes, subir por la carretera 15 me traía muy buenos recuerdos. Esta vez, sin embargo, se combinaban con la sensación de extrañeza que me invadía al haber matado por primera vez. Era ya otra persona y, no podía evitarlo, se sucedían instantes de náusea y de alborozo febril constantemente.

El trayecto era largo y empinado, por lo que descansábamos cada qince o veinte minutos. Vivíamos atentos a las orillas de la ruta constantemente. No queríamos toparnos con alguna sorpresa felinesca típica de los yudigordoncistas, que ya habían destruido mi gusto por Bach para siempre. El próximo horror podría ser emplear a Vivaldi, o a Mozart tal vez. Si llego a escuchar a Beethoven, ha de ser el límite de los límites, y no habrá perdón para nadie.

—Blanco, ¿no tuvo entrenamiento formal nunca?

—No Vera. Hablé por allá con militares retirados que se dedicaban ahora a la vida feliz. Recuerdo también una que otra cosa que me dijera mi padre de sus experiencias en Corea. Y por supuesto, recuerdo bien el manual para estos menesteres, el *Poema de Mio Çid*. Eso es todo. ¿Tú tienes ya experiencia en el conflicto?

—Fui parte de un escuadrón de espías. Fuimos muy importantes al inicio de las hostilidades. ¿Sabe que Stigma fue parte de ese grupo?

—Me lo dijo Rodríguez Juliá. Murió en una misión, tengo entendido.

—Sí, la de Plaza las Américas.

Mis pies se cansaban. Mis brazos no toleraban el peso del equipo. Mi mente estaba saturada del pasado, y de aquel presente tan real y oximorónico.

—No se crea que el presidente Duquésnico es el peligro mayor. El asesino más grande es un tal Carolus Pavonis —me indicó Vera—. Fue el responsable directo de varias muertes de nuestros agentes. Y por desgracia fui testigo de muchas de ellas. Por la naturaleza de las misiones no podíamos revelar nuestra presencia. No éramos muchos, acaso cuarenta agentes en total.

—Habrá sido brutal eso de tener que observar sin poder hacer nada —dije por decir algo. Me desconcertaba todo lo que escuchaba.

—Una vez presencié la muerte del agente más valioso. El Pavonis fue el torturador y verdugo de la hazaña. Nuestro agente se defendió valientemente, casi mata a Pavonis al drogarlo con ácido para hacerle perder el control por instantes, y logró destruir parte del arsenal yudigordoncista. El Pavonis, sin embargo, es hombre sagaz y se dedicó a ultimar poco a poco al agente.

—¿Cómo que poco a poco?

—Fue casi una tortura. Disparaba o mandaba a disparar con el propósito de desmembrar el cuerpo del agente. Al final le sonreía en la cara y le voló la cabeza de un escopetazo.

—Horrible es esto que cuentas. Y más horrible no poder hacer nada mientras lo presencias.

—No se lo imagina usted. Lo recuerdo casi todos los días.

—Yo lo recordaría siempre, conociéndome.

—Yo le creo, Blanco. Estoy seguro que lo recordaría todo el tiempo.

—¿Lo ultimó con un balazo en la cabeza entonces?

—No, le cercenó la cabeza con el disparo de escopeta.

—Si alguna vez lo vez me lo señalas. Te daré el honor de hacerle lo propio.

—Gracias Teniente.

Subíamos y subíamos. Los demás habían escuchado atentamente, si bien la mayor atención seguía puesta en las orillas del camino. Ya en las alturas de Jájome había un trecho bastante llano, y pudimos avanzar un poco. Nuestro descenso fue cuidadoso. Por momentos nos internábamos a la vegetación de alguna de las orillas a esperar algunos momentos luego de escuchar ruido de camiones. Manteníamos el más absoluto silencio para ver si subía alguien. Cada diez minutos lo hicimos, sin novedad alguna.

Cayey estaba ya a la vista. En la bajada final vimos casas desoladas, y vimos otras habitadas. La gente nos miraba con cierta indiferencia extraña. Llegué a pensar que obviamente estaban hartos de la destrucción, de falta de servicios esenciales, de la falta de cuidado médico, de la pérdida de familiares, consecuencia última del fratricidio oficializado. Ya cerca del final de la ruta pude detectar (o pensé que así lo era) lo que sólo podría denominar como una "indiferencia cómplice".

—Evitemos el centro comercial —dije—. Bajemos por allá, por la Avenida Veteranos, por donde está lo que debe quedar de la gasolinera. Al final a la izquierda estará el antiguo Recinto de Cayey. Ya entonces nos fijaremos mejor en las condiciones del pueblo como tal.

Bajamos por la avenida y notamos exactamente lo mismo que antes: caras extrañadas algunas, alevosas otras. Al poco tiempo escuchamos algo que nos pareció un discurso. Según avanzamos y nos acercábamos al Universitario, se escuchaba con mayor claridad una voz masculina, algo debilucha, por lo que la amplificación daba a entender.

—Se me parece a alguien conocido esa voz —dijo Vera.

—Bueno, de todas maneras sabemos que hay una concentración de soldados seguramente en el centro de la Universidad —indiqué— pensativo. Sería prudente tratar de verlos sin que nos vean y así saber cuántos son. Tal vez podríamos treparnos por la biblioteca, y desde el techo ver cuántos son.

Después de algunos minutos, Vera, Santiago y yo decidimos trepar la pared posterior de la biblioteca. Luego de llegar al techo (evitamos el salón al aire libre, por si había alguien), avanzamos a rastras hasta el borde y nos dimos cuenta de que había como entre mil y mil doscientos soldados yudigordoncistas reunidos que escuchaban a un general o coronel que daba un discurso entre un busto napoleónico de Ferré y otro de Madonna, al modo de Afrodita.

—Teniente, ese es Pavonis —me indicó Vera.

—¿El que habla?

—Sí, ese mismo.

—¿Quieres darle un tiro desde acá arriba?

—Sería un riesgo, ¿no?

—No te preocupes, ya se me ocurrió algo mejor.

De hecho, no sabía cómo, pero se me había ocurrido algo mucho mejor. Todavía cuando lo recuerdo no puedo creerlo.

—Escuchen: Todos esos soldados están amontonados en el centro y están mirando al edificio Morales Carrión que es donde está el futuro cadáver hablando.

—Por lo que noto con los binoculares están armados ligeramente —interrumpió Santiago.

—Perfecto. Vean que entre edificio y edificio hay poco espacio excepto en la parte que da a la entrada principal. Hay por lo menos algún vehículo cerca de los espacios entre los edificios, y varios amontonados en la parte que da a la salida. Están cerrados casi. Hagamos lo siguiente. Bajemos. Algunos irán y matarán a cuchillo a los que velen los vehículos si están cuidados. Usemos algunas granadas para explotar los tanques de gasolina de los vehículos. Como diez de nosotros podríamos treparnos al techo de la biblioteca y de los edificios contiguos. Cuando exploten los vehículos pueden comenzar a disparar a la multitud y a lanzarles granadas sorpresivamente. El resto de nosotros nos repartiríamos para disparar a los que quieran escapar por las posibles salidas. Es arriesgado, pero ellos prácticamente se han encerrado a sí mismos. Podemos eliminar a la mayoría, estoy seguro.

—A todos —dijo Santiago—. Los vamos a acribillar a todos.

Bajamos y organizamos lo más detalladamente posible el plan. Me quedé junto a Santiago, Vera y Ayala con el grupo que permaneció en el suelo. Los demás, unos diez, se treparon a los techos. Ayala y Santiago se encargaron de pasar a cuchillo a un par de soldados que velaban. Fueron asimismo dejando las granadas bajo los tanques de combustible, siete en total. Al explotar la primera granada comenzó la lluvia de disparos y de explosiones desde los techos. Confusión. Los yudigordoncistas mismos no sabían qué hacer. Siguieron explotando los vehículos y los soldados comenzaron a pisarse ellos mismos. El fuego cercó el perímetro prácticamente. Los que estábamos en el suelo disparábamos llenos de una alegría extraña, pura alevosía. Corrían hacia nosotros y los derribábamos según pasaban. La lluvia de balas desde el techo fue constante. El suelo se cubrió del azul de sus uniformes, manchados profusamente de la sangre que satisface al victorioso, y al verdugo. Lanzamos más granadas, y en ocasiones tuve la oportunidad de matar de frente a los que se me acercaban. Santiago los remataba delirantemente. Pavonis se integró a un grupo reducido que huía desesperado sin saber por dónde. Vera Santiago y yo les dimos alcance. Mientras Santiago acribillaba a su séquito, me lancé sobre el científico vuelto conferenciante vuelto estratega militar e ideólogo del régimen. Cayó estrepitosamente. Lo retuve en el suelo con mis rodillas. Saqué mi sable, y lo ofrecí a Vera.

—Toma Vera, es todo tuyo.

—No Blanco, sería un honor para mí y para los caídos que lo hiciera usted, estoy muy seguro de eso. Hágalo con deseo, con estilo, y yo y tantos otros diremos "y así fue que ocurrió todo".

Sus palabras me llenaron de orgullo, y del mayor de los deseos. Pavonis llegó a mirarme a la cara y se quedó observándome como todos los imbéciles que se quedan con la mirada fija en mis ojos tatuados y mi sombrero de tres picos. Vera y Santiago se sonrieron. No lo pensé dos veces e intenté decapitarlo, sin estilo, debo confesar. Le di cinco golpes terribles que no acababan de cercenarle la cabeza. Finalmente decidí cortar lo que quedaba adherido a su cuerpo. Aquello era un reguero de sangre. Me alegré al notar que el dolor se multiplicaba mientras se le apagaba la vida.

Así culminó el principio, y así celebré el segundo día más feliz de mi vida.

[Aquí termina el texto que compiló Guzmán]

NOTICIA DE LA MUERTE DE BLANCO WHITE

Presento a continuación el testimonio de varios habitantes de Ibiza que dan fe del deceso de Blanco White. He decidido presentarlos todos, puesto que las contradicciones de las versiones hacen interesante el relato final de quien siempre se consideró un eterno bayamonés.

J. C. M.

Antonio Morales Domecq. Pescador. 58 años de edad: "El tal Blanco White no era persona que se cuidara mucho. Según tengo entendido se pasaba con la juventud revuelta y los extranjeros locos que invaden anualmente las playas y los antros de perdición. Creo que murió por eso, por alguna sobredosis, o por un ataque cardíaco producido por sus excesos. No tenía familia conocida. Supongo que el Ayuntamiento se haría cargo de su cadáver. Ellos deben saber dónde está enterrado".

Pere Josep Montjuic. Abogado. 30 años de edad: "Sí, Blanco White iba mucho a los clubes. Era algo así como un viejo verde respetado por alguna razón que desconozco. Nunca me contaron bien su historia. Sé que daba buenos consejos. Recuerdo que de pronto se le dejó de ver por los clubes. Alguien me dijo que tenía un cáncer incurable y que por eso vivía despreocupadamente. Es lo que sé. Moriría de esa enfermedad".

María José Rodríguez Serrat. Cantinera, bailarina. 31 años de edad: "¿Cómo no voy a recordarlo? ¿Cómo olvidar esa mirada egipcia y esa sonrisa tenue, casi imperceptible? Sí, hace ya bastante tiempo que no se le ve. Sospecho que habrá muerto, porque sé que era muy mayor, aunque se veía muy bien con su pelo largo sin canas. Su apodo era "Viejo Verde Indiano", pero puedo decir que nunca me faltó el respeto. Yo a él en todo caso, que, pues, soy algo coqueta como verá. He oído mucho que tuvo un infarto por la mala o buena vida que se daba, según prefiera verlo usted. También he escuchado otra historia sobre él, la de que en verdad se fue, pero ya es como leyenda, como se dice. Creo que lo mató un infarto. Lo echo de menos".

Joan Claramunt. Industria hotelera. 48 años de edad: "El Blanco White me parece que se envenenó con algo. Alguna droga que le hicieron pasar por otra. No me extrañaría eso por la vida que llevaba. Yo me peleé con él una vez por llamarlo ridículo por lo de los ojos y el atuendo, lo que fue tal vez absurdo pues media humanidad aquí en los clubes viste de bufón o anda medio en cueros. Tal vez estaría yo borracho. Para ser un viejo el hijo de puta pegaba y sabía pelear bastante. *Impertinent de merda!* Fui de los que se alegró cuando se le perdió el rastro".

Alejandro Caraballo Nadal. Retirado militar. 65 años de edad: "Hablaba con él en la plaza en ocasiones temprano en las mañanas. Era veterano también. Parecía un loco, eso sí, pero tenía mucho ángel con la juventud, pude notar, amén de las leyendas que aún circulan entre ellos. Debió morir del corazón. Hombre de armas. Sí. Debió morir del corazón, ¿me entiende?"

Nuria Climent Vives. Negociante. 39 años de edad: "Algo zalamero el Blanco White, pero lo recuerdo con cariño. Sonreía poco, o casi no se le notaba. Hablábamos bastante pues a mí me gustaba, bueno, me gusta todavía ir a los clubes. Pensé siempre que era menor de lo que era por su apariencia. A mí me parece que enfermó de súbito y murió así de repente. O tal vez era una enfermedad que él desconocía, que la tendría y murió al poco tiempo de manifestarla".

APÉNDICES

Incluyo en esta sección las dos versiones que más circulan de la presunta desaparición folklórica de Blanco White, lo que varios entrevistados llaman sus leyendas, así como el último escrito que se le atribuye, acaso un trozo de prosa poética poco característico de su obra.

Apéndice I: Leyenda del "Rapto de Calipso"

Se cuenta que siempre hubo una mujer que lo estimaba mucho, aunque nunca se le asoció como pareja ni nada semejante. Sí se les vio juntos una que otra vez. Él cambiaba su temple ante ella. Eran como una entidad extraña cuando estaban juntos. Esta mujer lo invitó una vez a viajar a la isla de Malta, lugar del Mediterráneo que él desconocía. Rondaron la isla y pasaron a Gozo, isla menor que es parte de Malta. Es la isla donde queda la famosa Cueva de Calipso, el lugar donde la diosa le ofreció la inmortalidad y la dicha amatoria eterna a Odiseo en el poema homérico. Allí viven hasta el día de hoy en rapto amoroso, y por supuesto, hasta el final de los tiempos.

Apéndice II: Leyenda del "Rapto de las verdades"

Dicen que Blanco White vivió acosado por la nostalgia, cierta pérdida que asocian a sus años en su patria o algo semejante. Una amiga suya de aquí de Ibiza, muy cercana según se cuenta, lo invitó a viajar por la isla de Malta, que era la única isla que no conocía Blanco en el Mediterráneo. Tal vez quería distraerlo, pero se dice que una tarde hermosa en Valletta esta mujer le ofreció la inmortalidad al invitarlo a vivir con ella en la mítica cueva de Calipso, la cueva en que la diosa mantuvo cautivo a Odiseo, el héroe homérico. Se dice que él lloró en los brazos de esta mujer sin decir palabra por cinco días. La besó y la miró por última vez. Ese mismo día partió hacia Palestina, donde dicen que todavía combate, o que ya por fin ha muerto.

Apéndice III: Último escrito atribuido a Blanco White

En el jardín

Te observo, fría estatua marmórea, escondida entre la flora indómita de este jardín descuidado. Te observo y todo se aleja. Te observo y todo trazo revela esta caducidad que estalla instantes y cierra celebraciones febriles desteñidas. Camino hasta ti y te toco, como si mi mano cincelara, como si mi mano pintara, como si mi mano retocara colores perdidos, colores que nunca han sido y que sólo imagino en los estados alterados de mi conciencia enrarecida. Olvido que todo jardín es orden y me recreo en este abandono sensorial, ya fijo, ya precario, y mis ojos ya ceden al dominio de las lecturas, tan voraces, tan absolutas, tan otras, tan otras como la vida que siempre es ajena. Busco un ángulo y nacen cientos: nada impedirá el cerco de las melancolías. No hay edenes compartidos. No hay edenes. Estatua, estatua diáfana, estatua marmórea, hermosa y perfecta, te toco, te leo, te evoco, y sonrío. Quedarás, quedarás intensa y preciosa en el jardín, y yo me iré, y morirán mis manos, y morirán mis palabras, y morirán mis ojos aquí, muy lejos.

Final de la *Relación del
regreso de Blanco White
a la isla de Puerto Rico*,
seguida de la
noticia de su muerte
y otros apéndices